OSTSEE

Danzig

W9-CNX-864

POMMERN

Stettin

Oder

EN-

Berlin

Frankfurt
a. d. Oder

G

Cottbus

Oder

AND

Neisse

SEN

der

nitz

birge

Prag

TSCHECHOSLOWAKEI

Posen

POLEN

Warschau

Breslau

wald

Donau

Linz

Wien

zburg

REICH

Graz

DEUTSCHLAND
SCHWEIZ und ÖSTERREICH

KILOMETER

| 0 | 50 | 100 | | 200 |

MEILEN

| 0 | 50 | 100 | | 200 |

Staatsgrenze.......................
Administrativgrenze............
Landeshauptstadt.................⊛

© C. S. HAMMOND & Co., Maplewood., N. J.

CONCISE
GERMAN
COURSE

PETER HAGBOLDT

F. W. KAUFMANN

W. F. LEOPOLD

D. C. HEATH AND COMPANY

BOSTON

Preface

The work on this book began as a revision of Hagboldt and Kaufmann's two well-known books, *Deutsch für Anfänger* and *A Brief Course in German*, combined into one brief introductory German course. Actually very little of the old books was retained. Nearly everything is new: texts, exercises, grammar. Yet, the *Concise German Course* proudly tries to take its place in the tradition established by Hagboldt's superb pedagogical skill and meticulous workmanship. It is intended for use in college and in high schools with superior academic standards.

The texts give up the antiquated approach to the language by means of fairy tales and anecdotes; only a few of them have been retained. The texts pay the student the compliment of assuming that he can absorb a few cultural facts about Germany while learning the basic vocabulary and structure of the language. The first lessons deal with everyday situations and use colloquial speech. They can easily be put on tapes for use in the laboratory, adapted to the methods of the individual course of instruction. The later lessons proceed to a higher intellectual level, giving elementary information about German geography and history and sample glimpses of German legends, literature, music, and philosophy.

From Lesson 10 on, additional reading material is placed separately at the end of the book. It may be omitted (in courses which are satisfied with the bare essentials), or read in conjunction with each lesson, or studied at the end of the course for review and extension.

The exercises give systematic practice in the vocabulary and grammatical patterns of the lesson, endeavoring to lead to natural idiomatic German, both colloquial and literary. Provision is made for the practice of reading, writing, and speaking, so as to bring visual, auditory, and motor skills into play without favoring any group of students who may be gifted in one or the other of these ways. The varied types of practice reinforce one another and lay a foundation for the mastery of language patterns. German questions and English-German translations are placed at the end

v

of each set of exercises for the convenience of teachers who wish to omit one or the other or both.

Review exercises are provided at intervals of five lessons. They include vocabulary-building sections for the learning of word formation.

The grammar tries to give the minimum essentials in clear, concise form. Its arrangement follows in general the sequence used in *Deutsch für Anfänger* and *A Brief Course in German* with a few changes, but the formulation of the rules is new. After the first few lessons the presentation is systematic: what belongs together is found in one place, although sometimes grammatical points are purposely anticipated before the systematic treatment. The appendix, Grammatical Patterns (§§ 129–150), presents a still more systematic survey and review and offers complete paradigms.

The formulation of grammatical rules (including brief practical definitions of indispensable grammatical terms, which are too often unfamiliar to students) sometimes tries to go new ways. For such chapters (especially the subjunctive) we ask the indulgence of teachers who are used to a different approach. The formulation grows out of the conviction that, for example, the passive voice and the subjunctive are really not so difficult as they are often thought to be, and the new presentation is intended to simplify the learning of the rules. Whether the attempt is successful must be left to the judgment of the users of the book, who are asked to give the method a fair trial. The new term "indirect report" has been introduced to cover "indirect discourse," "indirect question," and "indirect statement." It is believed that it will be more immediately meaningful to students.

The capsule presentation of adjective endings (§ 63) is the intellectual property of Professor Meno Spann of Northwestern University. Numerals are introduced in the form of statistics about Germany (Lesson 12), which is thought to be more functional and satisfying than the use of an anecdote with a few incidental numerals.

Texts, exercises, and vocabularies were written by F. W. Kaufmann. The grammar is the responsibility of W. F. Leopold. Both authors, however, have closely collaborated on all parts of the book.

F. W. K.

W. F. L.

Table of Contents

VOCABULARY

List of Illustrations

x

Pronunciation

Vowels

Long and short vowels. A German long vowel has practically the same pronunciation as the corresponding short vowel, but is of longer duration.

It is not like so-called English "long *a*" or "long *i*," which are really diphthongs (sequences of two vowels).

(1) Vowels are short before doubled consonants:

Klasse, essen, kommen

This rule includes **ck,** which stands for **kk:**

Ecke, schicken, zurück′

(2) Vowels are long

    (*a*) before a single consonant in the interior of a word:

        haben, käme, reden, Ame′rika, Fami′lie

        But short **i** in **Kapi′tel** *chapter*, **Literatūr′;** short **a** in **Gramma′tik** *grammar.*

    (*b*) when doubled (**aa, ee, oo**):

        Staat, Meer, Boot *boat*

        But two o's in **Zoologie′.**

    Note. Avoid giving **ee** and **oo** the English sound!

    (*c*) before **h:**

        Jahr, während, nehmen, fühlen

a   (1) long (also spelled **aa, ah**) — similar to *a* in *father*:[1]

        ja, haben, Dame; Staat; Jahr

    (2) short — similar to *o* in *hot:*

        hat, was, alle, Land, Klasse, Stadt

[1] English words in common American pronunciation are given as rough guides. The exact pronunciation must be learned from live speakers.

ä [1] (1) long (also spelled **äh**) — similar to *a* in *care:*

erklä′ren, käme; während

(2) short — same as short **e** — like *e* in *best:*

hätte, fällt, kräftig

e (1) long (also spelled **ee, eh**) — similar to *a* in *cake*, but steady, without off-glide:

wer, Esel, Ame′rika; Meer, Kaffee; Lehrer, nehmen

(2) short — same as short **ä** — like *e* in *best:*

best, Heft, lernen, Herr

(3) mumbled in unstressed syllables —like *e* in unstressed *the:*

komme, habe, Tage; Schüler, aber; sagen, morgen; begin′nen, Gebir′ge, gese′hen

Note. Only **e** is thus reduced. Other vowels retain their quality in unstressed syllables. Watch this! English reduces many more unstressed vowels.

i (1) long (also spelled **ie, ih, ieh**) — similar to *ee* in *feet:*

wir, mir; die, sie, fliegen; ihm, ihnen; fliehen

Note. ie, as *ie* in *field*, *believe*, always has this sound, except in words from Latin, in which **i** and **e** are pronounced separately: **Fami′li-e, Ita′li-en, itali-e′nisch;** and in **vierzehn, vierzig, Viertel,** where it is reduced to short **i.**

(2) short — as *i* in *sin:*

ist, sind, wild, Bild, finden

o (1) long (also spelled **oo, oh**) — similar to *o* in *note*, but without off-glide and with more lip rounding:

so, oder, Tod, groß, Mond, Kloster; Boot; wohnen

(2) short — similar to *o* in *off*, but shorter and with more lip rounding:

oft, offen, von, noch, kommen, Wort, golden

ö (1) long (also spelled **öh**) — unlike any English vowel (but like *eu* in French *jeu*): long **e** with lip rounding (practice

---

[1] Two dots over the vowels mark a change of sound (German: **der Umlaut**). The vowels are called **a**-umlaut, **o**-umlaut, **u**-umlaut. This is the only modifying mark in German. Accents are not written.

(ö)   long **eöeöeö** without moving tongue, but rounding and unrounding lips):

schön, hören, töten, mögen; Söhne

(2) short — (like *eu* in French *peur*, but shorter): short **e** with lip rounding (practice short **e–ö–e–ö–e–ö** without moving tongue, but rounding and unrounding lips):

können, öffnen, Töchter, Wörter, zwölf

u   (1) long (also spelled **uh**) — similar to *oo* in *food*, but with more lip rounding:

du, gut, nun, nur, tun, Buch, Fuß; Uhr

Note. u is never like *yu:* **Universität′, Musĭk′**

(2) short — similar to *u* in *put*, *oo* in *foot*, but with more lip rounding:

um, zum, und, dumm, Mutter, Fluß

Note. The sound of *u* in *but, butter* does not exist in German.

ü   (1) long (also spelled **üh**) — (like French *u*): long **i** with lip rounding (practice long **iüiüiü** without moving tongue, but rounding and unrounding lips):

für, über, Schüler; früh, fühlen

(2) short — short **i** with lip rounding (practice short **i–ü–i–ü–i–ü** in the same way):[1]

fünf, Küche, füllen, Mütter, Flüsse, würde

y   (only in words from Greek)

(1) long — same as long **ü:**

lyrisch, Physĭk′, Psychologie′

(2) short — same as short **ü:**

Hymnus, Symphonie′

The letter **y**, rare as a vowel, does not occur as a consonant.

Note to all vowels. The vowel quality is not, as in English, noticeably affected by a following **r**. Pronounce with pure vowels: **ēr, wērt, Universität′, wird, Uhr, wurde, würde.**

---

[1] If you round your lips and pronounce **ich bin**, the result is "**üch bün**" — not a standard pronunciation (sometimes used by singers to get more resonance), but helpful in achieving the correct pronunciation of short **ü**.

Diphthongs

ai and **ei** — similar to *i* in *mine:* short **a** + short **i:**

Mai, Kaiser; ein, mein, sein, heißen, schreiben

Note. ei, as *ei* in *height*, always has this sound. The spelling **ai** (same sound) is rare.

au — similar to *ou* in *house*, *ow* in *now:* short **a** + short **u:**

auf, auch, Haus, Aufgabe

äu and **eu** — similar to *oi* in *oil*, *oy* in *boy:* short **o** + short **ü:**

Fräulein, Häuser; heute, deutsch, neu, treu

But **Muse'-um, be-ur'teilen**

ay and **ey** (both rare) — same as **ai, ei:**

Mayer, Meyer, Bayern *Bavaria*

Note. ie, ae, oe, ue are not diphthongs. ie is the most common spelling of long **i**, except in **Fami'li-e**, etc. The others are occasional spellings for **ä, ö, ü: Goethe, Schroeder (Schröder).**

Consonants

b as in English; but = **p** at the end of a syllable and before **s** and **t:**

lieb, gib, ab; abstammen; bleibst, bleibt, gibst, gibt

c (rare; in words from Greek, Latin, and French) = **ts** before the front vowels **i, e, ü, ö, ä, y;** = **k** before the back vowels **a, o, u:**

Cäsar, Cicero; Café, Colum'bus (Kolum'bus)

ch (the only consonant sound without a parallel in English)

(1) after back vowels (**a, o, u, au**) — "**ach**-sound": friction between the back of the tongue and the roof of the mouth:

ach, acht, machen, noch, doch, Tochter, Buch, auch, rauchen

(2) in all other positions (after front vowels and at the beginning of syllables) — "**ich**-sound": friction

(ch)   between the front of the tongue and the roof of the mouth, as in *huge* pronounced very emphatically:

ich, nicht, richtig, brechen, lächeln *smile*, Töchter, Bücher, euch; Chemie' *chemistry*, China, Chirurg', Mädchen *girl*, Märchen, manche

Note. Avoid pronouncing **ch** like **k, sch,** or **tsch.**

(3) in a few words from Greek =**k**: Charak'ter, Chor, Orche'ster

chs = ks (x):

sechs, wachsen

But = **ch** + **s** when s belongs to an ending: des Buchs, du machst, sprichst

sch = *sh* (*see under* **s**)

ck = k, as in English:

Ecke, Nacken

d   as in English; but = **t** at the end of a syllable and before **s** and **t:**

und, Land, wild, Freund, feindlich; du lädst ein, Stadt

f   as in English

g   (1) regularly as in English *good:*

geben, gibt, Theologie', Geographie'

(2) But = **k** at end of syllable and before **s** and **t:**

Tag, Berg, genug'; liegst, liegt

(3) –**ig** at end of syllable and before **s** and **t** = –**ich:**

richtig, Fähigkeit, König; des Königs, entschul'digt

Note. **g** never has the sound of *g* in *gem*, which is not a German sound.

ng as in *singer* (*see under* **n**)

h   (1) initially as in English (always pronounced, never silent as in *hour, honest*):

heute, haben, Herr; erhal'ten, behan'deln, Freiheit, Inhalt

(2) after vowels and between vowels: indicates vowel length and is not pronounced:

ihn, mehr, Sohn, sah; sehen, gehen, ruhig, fliehen

j (1) like *y*, but with more friction (never like *j!*):

    ja, jetzt, Jahr, jung, jeder

    (2) in a few words from French: like *s* in *pleasure*: Journāl'

k as in English. Do not omit **k** in **kn–**:

    Knabe, Knecht

l as in English, but with tongue flat, not arched in back:

    alle, fallen, Klasse, golden, schnell

m as in English

n as in English

    ng as in *singer* (not as in *finger!*):

        jung, Vorlesung, bringen, Finger, Hunger

        But = **n + g** in compounds: angesehen, angenehm, Unglück, ungeheuer

    nk as in English:

        denken, danken, trinken

        But = **n + k** in compounds: herein'kommen, unklar *not clear*

p as in English

    ph as in English: Philosophie'

qu = **kw,** English *kv* (not *kw!*):

    quälen, Quadrāt'

r is a trill (1) either of the tongue tip against the upper gums (preferred stage, singing, and recital pronunciation), or (2) of the uvula (the appendage hanging loose in the back of the mouth); a softened gargling or snoring sound (preferred, as in French, by most educated speakers in conversation and lecturing):

rufen, reden, Reise, waren

Before consonants and at the end of a syllable the trill is much reduced:

fort, warten; er, war, mir, sehr; Vater, aber, Lehrer; Erfolg'

s (1) before vowels, like English *z*:

    Sommer, sein, sagen, Persōn', Gesell'schaft, lesen, gese'hen, Unsinn

(s) (2) at the end of a syllable, like English *ss:*

das, aus, des, las, Haus; ausbrechen, Ausflug

ss and **ß** like English *ss:*

Wasser, essen, Flüsse; fließen, Fluß, Fuß, Füße

Note. ss stands between vowels following a short vowel; otherwise **ß**. **ß** may be written, typed, even printed as **ss**.

sch like English *sh:* [1]

Schule, Fisch, schreiben, schwer, Schwan

But **s + ch** in derivatives like **Häuschen** (diminutive of **Haus**)

s in **sp** or **st** beginning a basic form = **sch:**

spielen, sprechen; Stadt, Stunde, Student'; verspre'chen; verste'hen, erstre'cken

But = **s** in **Knospe** *bud;* **Fürst, erst, erste, schönster, du machst, bist**

t (1) as in English (but never relaxed to a **d**-like sound as often in American *better, butter, tomato):*

Mutter, Toma'te

(2) irregularly like **ts** in words from Latin ending in **-tiōn':**

Nation, Inflation, Generation; *also in* Patient'

th (only in words from Greek [2]) = **t** (German has no *th*-sound):

Thema, Theologie', Thron, katho'lisch, Thea'ter

tz as in English (*see under* **z**)

v (1) = **f** in native and fully Germanized words:

viel, vier, von, Vater, Volk, voll, Vers, verbie'ten; Datīv, Nerv

(2) = **w** (English *v*) before vowels in words from Latin, Italian, and French:

Novem'ber, Verb, Virtuo'se, nervŏs'

w = English *v* (German has no English *w*-sound):

was, wer, wenn, Wein, Wort, zwei, Schwan

---

[1] German has no spelling *sh*. **s + h** meeting accidentally in compounds are pronounced separately: **deshalb** *therefore*.   [2] Formerly also in native German words, still so in some names: **Thüringen, Roth.**

x   like English *x* = **ks** (never like *gz* as in English *exam, exaggerate*):

Hexe, extra, Exa′men

z   (also spelled **tz**) = **ts**, like *ts* in *cats* (not like English *z*):

schwarz, Zeit, zahlen, zu, zeigen, zerstö′ren; sitzen, trotz

ʔ   (not written; called "glottal stop") — a gentle coughing sound — usually precedes every vowel beginning a word or basic form (as in a very emphatic, protesting pronunciation of *ʔI ʔam the ʔowner*):

ʔer ʔist ʔin ʔAme′rika; ʔArbeit, beʔant′worten, Verʔant′wortung, ʔEnde, beʔen′den, ʔEltern, verʔei′nigen

Note. For singing, omission of the glottal stop is recommended.

Stress

Stress marks are never used in German. They are only for the guidance of the beginner.

1. In native German words the stress falls on the first syllable (except in the instances under 4):

Ar′beit, ar′beiten, ar′beitet, ar′beitete

There are a few exceptions: **leben′dig**, from **le′ben**

Compounds and derivatives:

Deutsch′klasse, Zahn′radbahn; lang′sam

But **allein′** (like *alone′*), **Lorelei′**

2. Separable prefixes (§§ 49–50), whether attached or separated, always have a stress:

an′fangen, auf′hören; er fängt an′, es hört bald auf′, ich sehe ihn bald wie′der

In compound prefixes such as **herein′-, hinauf′-** the second part is stressed: hinauf′steigen, er steigt hinauf′.

3. The negative prefix **un-** is usually, but not always, stressed:

un′schuldig, Un′glück; *but* unsterb′lich.

4. Inseparable prefixes (§§ 48, 50) are <u>un</u>stressed:

empfan′gen, Erfolg′, verste′hen, Verschwen′dung, überse′hen, wiederho′len

5. Foreign words retain foreign stress (stress not on the first syllable) much more often than in English:

Charak'ter, Musīk', musika'lisch, natūr'lich, Problēm', Konzert', Professo'ren

This rule includes the common suffixes **−ei'**, **−ie'**, **−ie'ren**, **−tāt'**, **−iōn'**, **−tiōn**:

Partei, Geographie, studieren, Universität, Union, Nation

Spelling: capitalization

1. All nouns and words used as nouns are capitalized:

Vater, Universität', Amerika'ner; der Alte, die Schöne, das Gute, das Interessan'teste; der Deutsche, das Deutsche *German language;* das Schreiben; die Fünf, das Abc.

Note. **deutsch, amerika'nisch, katho'lisch,** etc. as adjectives are not capitalized.

2. Pronouns and possessives used for polite address are capitalized: **Sie, Ihnen, Ihr.** For familiar address capitalization is used only in letters: **Du, Dein, Euer.** The reflexive **sich** is never capitalized.

Word division

1. A word is divided at the end of the line in such a way that the new line begins with a single consonant:

schrei-ben, ar-bei-ten, trin-ken, of-fen, öff-nen, Freun-din, wach-sen, ge-fan-gen, Frei-heit, Städ-te, kämp-fen, müs-sen

Without a consonant: freu-en.

2. **ß, ch,** and **sch** (which represent single sounds) **and st are** never divided:

hei-ßen, gro-ße; spre-chen; Deut-sche (deutsch *cannot be divided*); We-sten, sech-ste. *But* Diens-tag (*see 3*).

3. The elements of compounds are kept separate:

Mittel-alter, Diens-tag; dar-über, hin-ein', inter-essant'

4. Prefixes are retained as units (not so suffixes and endings):

be-glei'ten, er-klä'ren, Ver-zweif'-lung, ein-tre-ten, Aus-flug, Un-glück

5. **ck** is divided **k-k:** erschre'cken: erschrek-ken

Punctuation

In English, commas mark largely pauses in the flow of speech. In German they serve chiefly to show the logical organization of the sentence.

1. Subordinate clauses are always set off by commas.

2. Two principal clauses joined by **und** or **oder** are separated by a comma:

Er kam herein, und er fing an zu singen.
BUT Er kam herein und fing an zu singen.

3. Otherwise there is no comma before **und** or **oder,** notably not before the last member of an enumeration:

Wein, Weib und Gesang   *wine, women, and song*
Ich kam, sah und siegte   *I came, saw, and conquered.*

4. Infinitive clauses are subordinate clauses and are set off by a comma if they consist of more than the infinitive and **zu:**

Ich komme, um zu arbeiten.
Er fing an zu singen.

5. When inversion is used for emphasis, the first element is not separated from the verb by a comma (unless it is a subordinate clause):

Seit einigen Jahren wohnen wir in dieser Stadt.

6. Short principal clauses are sometimes separated by a comma, where English would prefer a semicolon.

7. Imperatives are commonly followed by an exclamation mark.

8. Beginning quotation marks stand under the line. Quotations are preceded by a colon (not a comma):

Er sagte: „Deutsch ist nicht schwer."

Pronunciation Exercises

Pronounce the following names carefully in accordance with the rules of German pronunciation:

1. Deutschland, Österreich *Austria*, Schweiz *Switzerland*, Luxemburg; Ame'rika, Afrika, Asiën; Sachsen *Saxony*, Schlesiën *Silesia*,

Schlēswig-Holstein, Böhmen *Bohemia;* Euro'pa; Schwarzwald; Sibi'riën

2. Bern, Luzern', Basel, Zürich; Wien *Vienna,* Salzburg,[1] Innsbruck; Berlīn', Hamburg,[1] München *Munich,* Köln, Bingen, Oberam'mergau, Berchtesga'den, Rothenburg,[1] Dinkelsbühl, Worms, Stuttgart, Kaiserslau'tern, Freiburg,[1] Frankfurt, Heidelberg,[1] Hildesheim, Bremerha'ven, Hanno'ver, Braunschweig *Brunswick,* Nürnberg,[1] Mainz, Trier, Kōblenz, Aachen, Augsburg,[1] Wiesbaden, Leipzig, Halle, Magdeburg,[1] Drēsden.

3. Nea'pel *Naples,* Mailand *Milan,* Florenz' *Florence,* Vene'dig *Venice,* Venetia'ner; London, Parīs', Madrid', Athēn', Kopenha'gen, Moskau, Prāg, Pilsen

4. Donau, Weser, Oder, Weichsel *Vistula,* Neiße, Main, Spree *(river at Berlin),* Havel *(river near Berlin);* Themse *Thames*

5. Wallenstein, Bismarck, Hindenburg,[1] Heuß, Adenauer, Lübke; Steuben, Schurz; Xerxes; Mommsen

6. Adam, Eva (**f** *or* **v**), David (**f** *or* **v**), Go'liath, Saul; Matthä'us *Matthew;* Martin Luther (*short* **u**); Protestant', Katholīk', katho'lisch, evange'lisch; Schweitzer; Fichte, Imma'nuel Kant

7. Johann Seba'stiān Bach, Wolfgang Amade'us Mozart, Ludwig van Beethoven, Richard Wagner, Händel, Weber, Schubert, Schumann,[2] Gluck, Hindemith; Albrecht Dürer

8. Johann Wolfgang von Goethe, Heine, Mörike, Hauptmann,[2] Stefān Geor'ge, Thomas Mann; Homēr', Äsōp', Ovīd', Horāz'

9. Humboldt, Heisenberg, Gauß, Einstein, Bunsen, Diesel, Planck, Zeppelīn, Leitz, Zeiß; Schliemann [2]

10. Joseph, Wilhelm, Werner, Robert; Anna, Ire'ne, Gertrud, Hildegard; Schwarz, Rōthschild, Zimmermann,[2] Kraemer, Schroeder, Braun, Goldstein (*short* **o**), Krause, Wolf

---

[1] The pronunciation of –**berg** and –**burg** differs considerably! [2] German names ending in –**mann** have double **n;** watch this!

CONCISE GERMAN COURSE

Erste Aufgabe

Die Deutschklasse

PROFESSOR. Guten Morgen! Dies ist die Deutschklasse. Ich bin der Professor. Sie sind die Studenten. Ich spreche Deutsch. Sie sprechen Englisch. Sie lernen Deutsch. Deutsch ist eine Sprache. Englisch ist auch eine Sprache. Englisch und Deutsch sind Sprachen. Hier sind deutsche Zahlen: eins (1), zwei (2), drei (3), vier (4), fünf (5). Sie verstehen mich, nicht wahr? Bitte, sagen Sie: 1 – 2 – 3 – 4 – 5!

KLASSE. 1 – 2 – 3 – 4 – 5.

PROFESSOR. Gut! Aber nun Ihre Namen! Mein Name ist Müller, Professor Müller. Wie heißen Sie? Was ist Ihr Name?

STUDENTIN. Anna Smith.

PROFESSOR. Sagen Sie: „Ich heiße Anna Smith" oder „Mein Name ist Anna Smith."

STUDENTIN. Ich heiße Anna Smith.

PROFESSOR. Und wie heißen Sie?

STUDENT. Mein Name ist Joseph Braun.

PROFESSOR. Ist Ihr Name englisch oder deutsch?

BRAUN. Mein Name ist deutsch, Braun.

PROFESSOR. Ist Ihr Vater aus Deutschland?

BRAUN. Ja, er ist aus Deutschland. Er ist aus Hamburg.

PROFESSOR. Aber Sie sind in Amerika geboren, nicht wahr, Herr Braun?

BRAUN. Ja, Herr [1] Professor.

PROFESSOR. Und Ihr Name, bitte!

STUDENTIN. Ich heiße Susanna Cole.

PROFESSOR. Wir lernen nun ein Verb: ich bin, du bist, er ist. Wiederholen Sie! Alle, bitte!

---

[1] When a man is addressed, his title is preceded by **Herr**; omit in English. Never use **Herr** for yourself.

1

ALLE. Ich bin, du bist, er ist.

PROFESSOR. Wir sind, ihr seid, sie sind. Alle wiederholen!

ALLE. Wir sind, ihr seid, sie sind.

PROFESSOR. Herr Braun, Sie sind ein Student. Was sind Sie?

BRAUN. Ich bin ein Student.

PROFESSOR. Fräulein Smith, ich bin kein Student. Was bin ich?

SMITH. Sie sind der Professor.

PROFESSOR. Fräulein Cole, Herr Braun ist ein Student; Sie sind eine Studentin. Was sind Sie, ein Student oder eine Studentin?

COLE. Ich bin kein Student, ich bin eine Studentin.

PROFESSOR. Herr Braun, was sind Sie und Fräulein Cole und Fräulein Smith?

BRAUN. Wir sind Studenten.

PROFESSOR. Gut! Sie sehen, Deutsch ist nicht schwer. Sie sprechen schon Deutsch. Hat jemand eine Frage?

BRAUN. Herr Professor, Sie sagen: Professor und Student; mein Vater sagt: Lehrer und Schüler.

PROFESSOR. Professoren und Studenten sind auf der Universität; sie heißen in der Schule Lehrer und Schüler.

Wortschatz

aber but, however

all, *pl.* **alle; wir alle** we all, all of us

(das) **Ame'rika** America

auch also, too

auf on, upon; — **der Universität** at the university

die **Aufgabe** task, lesson, assignment

aus out of, from

bitten ask, beg, request; **bitte!** please!

deutsch German; (das) **Deutsch** German language; die **Deutschklasse** German class; (das) **Deutschland** Germany

dies this

du you (*familiar sing.*)

englisch English; (das) **Englisch** English language

er he

erst first

die **Frage** question

das **Fräulein** miss, young lady

gebo'ren born; **Sie sind . . . geboren** you were born

gut good; well; **guten Morgen!** good morning!

er (**sie, es**) **hat** he (she, it) has

heißen be named, be called; **ich heiße** I am called, my name is; **wie — Sie?** what is your name?

der **Herr** gentleman; master, Mr.

hier here

ich I

ihr you (*familiar pl.*)

Ihr, Ihre, Ihr your (*polite*)

in in, into

ja yes

jemand somebody

kein, keine, kein no, not a, not any

die **Klasse** class (*group of students*), classroom

der **Lehrer,** *pl.* die **Lehrer** teacher

lernen learn, study

mein, meine, mein my
mich me
der **Morgen** morning; *see* **gut**
der **Name** name
nein no
nicht not; — wahr? isn't it so?
nun now
der **Profes'sor**, *pl.* die **Profes-so'ren** professor
sagen say; er sagt he says; sagen Sie! say (*polite imp.*)
schon already
die **Schule** school
der **Schüler**, *pl.* die **Schüler** pupil
schwer heavy; difficult, hard
sehen see
sie they; Sie you (*polite*)
die **Sprache**, *pl.* die **Sprachen** language

sprechen speak
der **Student'**, *pl.* die **Studen'ten** student; die **Studen'tin** girl student
und and
die **Universität'** university; *see* **auf**
der **Vater** father
das **Verb** verb
verste'hen understand
wahr true; nicht —? *see* nicht
was what
wer who
wie how; *see* **heißen**
wiederholen repeat, review; — Sie! repeat (*polite imp.*)
wir we
die **Zahl**, *pl.* die **Zahlen** number

Grammar

1. The *NOMINATIVE* of the noun or the pronoun is the case of the subject (the person or thing spoken about) and of the predicate noun (the noun which must be added to a form of the verb *to be* to make a meaningful statement about the subject):

Die Studenten verstehen. *The students understand.*

Der Herr ist ein Professor. *The gentleman is a professor.* (2 nominatives)

Wir sind Studenten. *We are students.* (2 nominatives)

2. Nominative singular forms of the definite and indefinite articles and the personal pronoun, third person:

MASC.	FEM.	NEUT.	
der	die	das	*the*
ein	eine	ein	*a, an; one*
er	sie	es	*he, she, it*

The forms of **kein** *no, not a, not any* and of the possessives (**mein** *my,* **sein** *his, its,* **Ihr** *your,* § 34) correspond closely to the forms of **ein,** and these words are called "**ein**-words": kein, keine, kein; mein, meine, mein; sein, seine, sein; Ihr, Ihre, Ihr.

3. German nouns have three *GENDERS,* masculine, feminine, neuter. Nouns denoting males and females are usually, but not always, masculine and feminine: das Fräulein *the young lady*. Things, etc. are arbitrarily either masculine, feminine, or neuter: der Morgen *the morning*, die Klasse [1] *the class*, das Verb *the verb*.

Pronouns referring to nouns agree with them in gender: **der Morgen — er, die Klasse — sie, das Verb — es.** Thus **er** and **sie** mean not only *he* and *she*, but very often *it*.

4. The verb **sein** *to be* [2] is conjugated in the present tense:

SINGULAR		PLURAL	
ich bin	*I am*	**wir sind**	*we are*
du bist	*(thou art) you are*	**ihr seid**	*you are*
er (sie, es) ist	*he (she, it) is*	**sie sind**	*they are*
		Sie sind	*you are*

Notice: **sie** with a singular verb means *she (it)*, with a plural verb *they*, capitalized with a plural verb *you*.

5. In other verbs the ending –**en** marks the infinitive (§ 9) and the first and third persons plural; the ending –**e** marks the first singular present: sprechen *to speak*, wir sprechen *we speak*, sie sprechen *they speak*, Sie sprechen *you speak*, ich spreche *I speak*.

6. German has three ways of saying *you:*

du (*thou*) for a relative, an intimate friend, God, a child, an animal;
ihr (*ye*) for two or more of these types;
Sie for one or more adults not known intimately ("polite address"), always with a third person plural verb ending in –(e)**n**.

Du and **ihr** agree with an address by first name(s); **Sie** agrees with an address such as **Herr, Fräulein,** etc., followed by a family name or a title:

Karl, du bist kein Professor. *Charles, you are not a professor.*
Karl und Anna, ihr seid Schüler. *Charles and Ann, you are pupils.*
Sind Sie aus Deutschland, Herr Professor? *Are you from Germany, (Mr.) professor?*
Herr Braun und Fräulein Smith, Sie sind Studenten. *Mr. Braun and Miss Smith, you are students.*

---

[1] Most nouns ending in –**e** are feminine; but there are no complete rules covering the choice of gender. Nouns must be learned with their articles.
[2] Notice that by accident **sein** is the infinitive *to be* as well as the masculine and neuter of the possessive (*his, its*). Infinitives stand at the end of clauses (§ 9); possessives usually precede nouns.

Übungen

A. Supply the proper form of the definite article:

1. Sind Sie — Professor? 2. Ich bin — Studentin. 3. Ist hier — Deutschklasse? 4. Wie heißt — Fräulein? 5. Wer sind — Schüler? 6. Was sagt — Vater? 7. — Sprache ist nicht schwer.

B. Supply the indefinite article in A, sentences 1–3.

C. Supply the proper form of **mein:**

1. Er ist — Schüler. 2. Sie ist nicht — Studentin. 3. — Sprache ist Englisch. 4. Verstehen Sie — Frage? 5. Hier ist — Vater. 6. — Professor heißt Herr Müller. 7. Hier ist — Klasse.

D. Supply the proper form of **sein:**

1. Wer — das Fräulein? 2. — Herr Braun ein Student? 3. — Sie der Herr Professor? 4. — ihr Studenten? 5. — du aus Deutschland? 6. Ich — aus Hamburg.

E. Answer in complete German sentences:

1. Sprechen die Studenten Deutsch? 2. Lernen Sie Deutsch oder (or) Englisch? 3. Verstehen die Studenten die Zahlen? 4. Was ist Herr Müller? 5. Wie heißt die erste Studentin? 6. Wie heißt der Student? 7. Ist der Name Braun deutsch oder englisch? 8. Ist Herr Braun aus Deutschland oder aus Amerika? 9. Was ist Fräulein Cole? 10. Was lernen die Studenten? 11. Ist Deutsch schwer? 12. Hat jemand eine Frage? 13. Sind Lehrer und Schüler auf der Universität? 14. Wer ist auf der Universität? 15. Wiederholen Sie das Verb „sein"!

F. Translate the words in parentheses:

1. Englisch ist (*a language*). 2. (*We learn*) Deutsch. 3. Hier ist (*my German class*). 4. Ich (*am called*) Müller. 5. Sind Sie (*Miss*) Cole? 6. (*The pupils*) sind in der Schule. 7. (*What is your name*), mein Fräulein? 8. (*All of us*) lernen Deutsch. 9. (*We understand*) deutsche Zahlen. 10. Die Studenten (*repeat*) das Verb. 11. Hier ist (*no*) Lehrer. 12. Sie (*speak no*) Deutsch.

Prüfungen

PAUL. Guten Tag, Fräulein Young! Wie geht's?

LINDA YOUNG. Danke, gut. Aber warum so förmlich? Sagen Sie ruhig Linda! Wir sind Studenten, und alle Studenten haben das gleiche Schicksal.

PAUL. Ja, Linda, du hast recht. Wir haben alle das gleiche Schicksal: Tag und Nacht lernen wir; dann haben wir eine Prüfung und wissen nichts.

LINDA. Ist es so schlimm?

PAUL. Ja, es ist schlimm. Wir haben morgen eine Prüfung in Mathematik, und ich weiß nichts.

LINDA. Ich habe eine Prüfung im Deutschen.

PAUL. Das ist nicht schwer.

LINDA. Das sagst du! Du hast keine Deutschklasse mehr. Aber du hast trotzdem recht; Deutsch ist wirklich nicht schwer. Hast du etwas Zeit, Paul?

PAUL. Nein, ich habe viel zu tun.

LINDA. Hast du nicht einmal Zeit für eine Tasse Kaffee?

PAUL. Ich kann nicht nein sagen, wenn mich eine Dame bittet. Gehen wir![1]

Im Restaurant sind viele Studenten, aber Linda und Paul finden einen Tisch. Die Kellnerin kommt und fragt:

KELLNERIN. Was wünschen Sie, bitte?

PAUL. Zwei Tassen Kaffee.

KELLNERIN. Mit Sahne?

LINDA. Ich trinke den Kaffee mit Sahne. Und du, Paul, wie trinkst du ihn?

[1] Inversion (subject after verb) here indicates a wish: **wir gehen** *we go;* **gehen wir!** *let us go!*

PAUL. Ohne Sahne, bitte!

KELLNERIN. Wünschen Sie auch ein Stück Kuchen?

PAUL. Ich nicht, aber du, Linda, nicht wahr? Sage ja!

LINDA. Ich sage nicht nein.

PAUL. Gut! Also eine Tasse Kaffee mit Sahne, eine ohne Sahne und ein Stück Kuchen, bitte; und vergessen Sie den Zucker nicht!

Wortschatz

also therefore, then
die Dame lady
danken thank; **danke!** thank you, thanks
dann then
das Deutsche German (language)
einmal once; **nicht —** not even
etwas something; some
finden find
förmlich formal
fragen ask
für *acc.* for
gehen go; walk; **wie geht es** (*or* **geht's**) (**Ihnen**) how are you?
gleich equal, same
im = in dem in (the)
der Kaffee coffee
kann: ich (er) — I (he) can (*from* **können** be able to)
die Kellnerin waitress
kommen come
der Kuchen cake
die Mathematík mathematics
mehr more; **nicht —** no more, not any more; **kein . . . —** no . . . any more
mit *dat.* with
morgen tomorrow
die Nacht night
nichts nothing, not anything
oder or
ohne *acc.* without

die Prüfung, *pl.* **die Prüfungen** examination, test
recht right; **— haben** be right
das Restaurant' restaurant
ruhig quiet(ly); *here* just
die Sahne cream
das Schicksal fate
schlimm bad
so so, thus
das Stück piece; **ein — Kuchen** a piece of cake
der Tag day; **guten Tag!** (good day) hello; how do you do?
die Tasse cup; **eine — Kaffee** a cup of coffee
der Tisch table
trinken drink; **Kaffee —** have coffee
trotzdem in spite of it, nevertheless
tun do
verges'sen forget
viel much; **viele** many
wann when
warum' why
wirklich real(ly)
wissen know; **ich (er) weiß** I (he) know(s)
wünschen wish, desire
die Zeit time
zu to; too
der Zucker sugar
zwei two; **zweit-** second

Grammar

7. (a) The *ACCUSATIVE* is the case of the direct object (the person or thing directly affected by the action):

Wir verstehen den Professor. *We understand the professor.*
Ich trinke den Kaffee. *I drink the coffee.*

(b) It is also used after certain prepositions (§§ 22–23): ohne meinen Vater *without my father.*

(c) Used adverbially it indicates definite time including date lines: jeden Tag *every day;* Hamburg, den 2. (zweiten) Oktober (compare genitive of time, § 29).

8. The accusative of the articles and **ein**-words differs in form from the nominative only in the masculine singular:

NOM.	der	ein	kein	mein (etc.)
ACC.	den	einen	keinen	meinen (etc.)

The accusative of pronouns is (as in English) in many instances completely different from the nominative:

NOM.	ich	*I*	du	*(thou) you*	er	*he*	sie	*she*
ACC.	mich	*me*	dich	*(thee) you*	ihn	*him*	sie	*her*

NOM.	wir	*we*	ihr	*(ye) you*	sie	*they*	wer	*who*
ACC.	uns	*us*	euch	*you*	sie	*them*	wen	*whom*

There is no difference in the German or English neuter forms: **es** *it,* **was** *what.*

9. The *INFINITIVE* (dictionary form of a verb, in English commonly cited with "*to*": *to learn*) of all German verbs ends in –**en,** reduced to simple –**n** after **r** and **l: lernen** *to learn,* **sagen** *to say, tell;* **ändern** *to change;* **sammeln** *to collect;* also **tun** *to do.* In **wir ändern, sie sammeln** the ending –**en** is reduced in the same way.

Any infinitive can be used as a neuter noun, corresponding to an English verbal noun (gerund) in *–ing:* **das Lernen** *the learning,* **das Sammeln** *the collecting.* No plural.

The *PRESENT PARTICIPLE* ends in –**(e)nd** corresponding to English *-ing:* **lernend** *learning,* **sagend** *saying;* **ändernd** *changing,* **sammelnd** *collecting.*

WORD ORDER. Infinitives and participles stand at the end of the clause:

Ich kann nicht nein sagen. *I cannot say no.*

10. The *PRESENT TENSE* has the endings **–e, –st, –t; –en, –t, –en,** which replace the infinitive ending **–en:**

> lernen *to learn:* ich lerne *I learn,* du lernst *(thou learnest) you learn,* er (sie, es) lernt *he (she, it) learns*
>
> wir lernen *we learn,* ihr lernt *you learn,* sie lernen *they learn,* Sie lernen *you learn*

Watch the characteristic ending **–t** of the third person singular which corresponds to **–s** in English and marks the verb as present tense.

To avoid difficulties of pronunciation the endings **–st** and **–t** have the longer form **–est** and **–et** after **d** and **t** and in a few other instances:

> finden *to find:* du findest *(thou findest) you find,* er findet *he finds,* ihr findet *you find*
>
> reiten *to ride:* du reitest, er reitet, ihr reitet
>
> antworten *to answer:* du antwortest, er (ihr) antwortet
>
> öffnen *to open:* du öffnest, er (ihr) öffnet

Informally the present tense is often used with a future sense:

> Ich komme morgen. *I'll come tomorrow.*

11. German has no progressive form (*I am learning*) and no emphatic form (*I do learn*); **ich lerne** means *I learn, I am learning, I do learn.* Choose the suitable English translation in each case; in negative sentences and questions use the form with *do:*

> Sie lernen Deutsch. *You (They) are learning German.*
> Ich weiß es nicht. *I do not know it.*
> Wir sprechen kein Deutsch. *We speak no German. We do not speak German.*
> Sprechen Sie Deutsch? *Do you speak German?*

12. Corresponding to the three forms of address **du, ihr, Sie** (§ 6), German has three forms of the *IMPERATIVE* (form of command) with the endings **–e, –(e)t, –(e)n + Sie:**

	Familiar Singular	Familiar Plural	Polite
learn:	lerne!	lernt!	lernen Sie!
answer:	antworte!	antwortet!	antworten Sie!
change:	ändere!	ändert!	ändern Sie!

The personal pronoun is always added after the polite imperative, not after the other forms. The **–e** of the familiar singular imperative is often omitted in informal speech: **lern!** *learn;* **schreib mir!** *write to me;* **tu!** *do.*

The only irregular imperatives are **sei! seid! sei(e)n Sie!** *be.*

13. The present tense of **haben** *to have* is slightly irregular in two forms (as in English):

> ich habe *I have, I am having, I do have;* du hast (*thou hast*) *you have,*
> *etc.;* er (sie, es) hat *he (she, it) has,* etc.
>
> wir haben *we have,* ihr habt *you have,* sie haben *they have,* Sie haben
> *you have*
>
> habe! habt! haben Sie! *have, do have*

Übungen

A. Supply the proper form of the definite article:

1. Hier ist — Restaurant. 2. — Kellnerin fragt — Studenten.
3. Wünschen Sie — Kaffee mit Sahne? 4. — Dame wünscht — Zucker.
5. Wann habt ihr — Prüfung? 6. Verstehst du — Aufgabe?
7. — Frage ist gut.

B. Supply the proper form of **kein:**

1. Ich habe — Klasse. 2. Lernst du — Deutsch? 3. Wir haben
— Prüfung. 4. Haben Sie — Kuchen? 5. Wünscht sie — Kaffee?
6. Er hat — Vater mehr. 7. Habt ihr — Zeit?

C. Substitute the proper personal pronoun:

Example. Mein Vater kommt. — Er kommt.

1. Der Professor kommt nicht. 2. Der Student lernt Deutsch.
3. Wann ist die Prüfung? 4. Wie heißt die Dame? 5. Hier ist
das Restaurant. 6. Hier ist die Universität.

D. Supply the proper form of the verb in parentheses:

1. Wir (*understand*) Deutsch. 2. Aber wir (*speak*) es nicht.
3. Sie (*They learn*) viel, aber sie (*forget*) auch viel. 4. (*Have*) du
morgen eine Prüfung? 5. Ja, ich (*have*) eine Prüfung, aber ich
(*know*) nichts. 6. Wir (*drink*) eine Tasse Kaffee. 7. Ihr (*have*)
morgen keine Deutschklasse. 8. Alle Studenten (*have*) das gleiche
Schicksal. 9. Sie (*know*) nichts, aber sie (*can*) nicht Tag und
Nacht (*study*).

E. Answer in complete German sentences:

1. Was sind Linda und Paul? 2. Was ist das Schicksal der (*of the*)
Studenten? 3. Was ist schlimm für Paul? 4. Weiß er etwas in
Mathematik? 5. Hat Linda auch eine Prüfung in Mathematik?
6. Lernt Paul auch Deutsch? 7. Hat Paul Zeit? 8. Warum hat

er Zeit für eine Tasse Kaffee? (Er kann...) 9. Wer ist im
Restaurant? 10. Was bestellt (*does... order*) Paul? 11. Trinkt
Linda Kaffee mit oder ohne Sahne? 12. Wer trinkt Kaffee ohne
Sahne? 13. Was fragt die Kellnerin? 14. Wer wünscht ein
Stück Kuchen?

F. Translate:

1. Good morning; how are you? 2. Well, thank you. 3. What
do you wish? 4. We want (wish) a cup of coffee and a piece of
cake, please. 5. The cake is good, Miss Smith. 6. You are
right, Mr. Brown; it is good. 7. Don't forget (*give 3 forms*) to
come. 8. Repeat (*give 3 forms*) my question.

Dritte Aufgabe

Nach der Stunde

PETER. Ich habe heute bis zwölf Uhr Unterricht. Wann bist du fertig, Paul?

PAUL. Ich habe auch nur bis zwölf Unterricht.

PETER. Gehst du nach der Stunde sofort nach Hause?

PAUL. Nein, ich habe etwas Zeit. Meine Mutter ist heute nicht zu Hause. Mein Vater und ich essen in der Stadt zu Mittag. Er kommt um ein Uhr zur Universität. Von hier gehen wir zusammen ins Restaurant.

PETER. Na, dann warte nach der Stunde hier am Eingang! Wir haben also noch Zeit, in die Buchhandlung zu gehen. Ich brauche ein Mathematikbuch.

PAUL. Und ich ein Heft, etwas Papier und so weiter. Aber da läutet es schon. Die Stunde beginnt. Also bis zwölf Uhr!

Nach der Stunde wartet Peter am Eingang zur Universität; aber Paul ist noch nicht da. ,,Um zwölf Uhr,'' sagt er, aber es ist schon zwölf, und er kommt nicht. Endlich um halb eins kommt er aus der Klasse.

PETER. Spät kommst du, doch du kommst.

PAUL. Entschuldige bitte! Wir hatten eine Prüfung in Mathematik. Sie war sehr schwer.

PETER. Eine Prüfung in Mathematik entschuldigt bei mir alles. Herzliches Beileid!

PAUL. Warte mit dem Beileid bis morgen! Bis jetzt habe ich noch keine Fünf.

PETER. Gut, warten wir bis morgen! Alles zu seiner Zeit![1]

[1] *at its (proper) time.*

12

PAUL. Aber warum stehen wir hier? Laß uns jetzt zur Buchhandlung gehen!

PETER. Jetzt ist es zu spät. Wir gehen morgen, oder hast du dann wieder eine Prüfung?

PAUL. Zum Glück nicht. Unser Leben ist auch ohne Prüfung schwer genug. Aber da kommt mein Vater. Also auf Wiedersehen!

PETER. Auf Wiedersehen!

Wortschatz

alles all, everything

antworten answer

begin'nen begin

das **Beileid** condolence; sympathy

bis till, until

brauchen use; need

das **Buch** book; die **Buchhandlung** bookstore

da there; then

dein, deine, dein your (*familiar*)

doch yet; anyway

dritt– third

ein one

der **Eingang** entrance

endlich finally

entschul'digen excuse, pardon

essen eat; **zu Mittag** — have (*noon*) dinner, have lunch

fertig ready

fünf five; die **Fünf** (*grade of*) F

genug' enough

das **Glück** happiness; luck, good fortune; **zum** — fortunately

halb half; **um** — **eins** at half past twelve

hatte: er — (*past of* **haben**) he had

das **Haus** house; **nach Hause** home; **zu Hause** at home

das **Heft** notebook

herzlich cordial; **herzliches Beileid!** my heartfelt sympathy!

heute today

jetzt now

lassen let; **laß uns!** let us

läuten ring; **es läutet** the bell rings

das **Leben** life

das **Mathematik'buch** (= die **Mathematik'** mathematics + das **Buch**) mathematics book

der **Mittag** midday, noon; *see* **essen**

die **Mutter** mother

nä (*interjection*) well

noch still; — **nicht** not yet; — **kein(e)** no ... yet

nur only

das **Papier'** paper

sehr very, much, very much

sein, seine, sein his, its

sofort' immediately

spät late

die **Stadt** city

stehen stand

die **Stunde** hour; class (*period*)

die **Uhr** watch; clock, o'clock

um *acc.* around, about; — **ein Uhr** at one o'clock

und: — **so weiter** and so on (*abbr.* **usw.** etc.)

unser, unsere, unser our

der **Unterricht** instruction; class(es)

wann when

war: er — (*past of* **sein**) he was

warten wait

wieder *again*
das **Wiedersehen** *seeing again;*
   auf —! *au revoir, good-bye*

zusam'men *together*
zwölf *twelve*

For prepositions see § 15.

Grammar

14. The *DATIVE* is the case of the indirect object (the person or thing less directly affected by the action of the verb):

> Er bringt dem Professor (*indir. obj., dat.*) das Buch (*dir. obj., acc.*).
> *He brings the book to the professor.   He brings the professor the book.*

English expresses the indirect object by adding *to* or *for*, but can also use the noun or pronoun without a preposition, with a different word order, as the example shows.

Sometimes *from* is added instead of *to* or *for* (dative of disadvantage):

> Sie stehlen ihm sein Geld.   *They steal his money from him.*

For parts of the body or of clothing the owner is indicated by a dative (in English by a possessive):

> Ich wasche mir die Hände.   *I wash my hands.*

15. In addition the dative is *always* used after the prepositions **aus, bei, mit, nach, seit, von, zu** (memorize and learn meanings well).

They state "place where, time when" or "place from where, time from when on," except for **nach** and **zu**, which usually state "place to which."

aus *out of, from*
(**außer** *outside of, beside; except*)
bei *at, near, with;   at the house of*

mit *with*
nach *after, to;   according to*

seit *since (the time)*
von *of, from;   by*
zu *to;   at, for*

16. Dative singular forms:

MASC.	FEM.	NEUT.	
dem	der	dem	*to (for) the*
einem	einer	einem	*to (for) a*
keinem	keiner	keinem	*to (for) no*
meinem	meiner	meinem	*to (for) my*
ihm	ihr	ihm	*to (for) him, her, it*
wem	wem	—	*to (for) whom*

17. Dative singular of nouns. Feminine nouns have one unchanging form throughout the singular: **der Stadt** (*to*) *the city;* **seit der Nacht** *since the night.*

Masculine and neuter nouns often add **–e,** but the addition is optional. The more conservative literary language often adds it, especially to nouns of one syllable: **dem Tische, einem Buche.** The conversational language usually omits it: **dem Tisch, einem Buch.**

18. Word order: objects. (a) The indirect object stands before the direct (as in English for the form without preposition):

Er zeigt dem Professor (ihm) sein Heft. *He shows the professor (him) his notebook. He shows his notebook to the professor (to him).*

(b) But when the direct object is a personal pronoun, **it** stands before the indirect object (as usually in English):

Er zeigt es dem Professor (ihm). *He shows it to the professor (to him).*

19. Word order: verb. (a) In a principal (independent) clause the verb is the second element (not necessarily the second word). This is called "normal word order."

Die deutsche Sprache ist schwer. *The German language is difficult.*
Der Student geht heute in die Universität. *The student goes to the university today.*

(b) If the first element is not the subject, the verb is still second and the subject follows (contrary to usual English practice [1]). This is called "inverted word order."

Heute geht der Student in die Universität. } *Today the student goes to*
In die Universität geht der Student heute. } *the university.*
Die Aufgabe kann er nicht verstehen. *He cannot understand the lesson.*
„Ich komme," sagt er. *"I am coming," he says (says he).*
Wenn ich komme, schreibe ich. *When I come, I'll write.*

In the last two examples the quotation and the subordinate (dependent) **wenn**-clause are the first elements of the sentence as a whole. The verb is second.

Inversion serves to emphasize something other than the subject. It is used more often in German than in English, for variation in style.

[1] But compare: Here comes my friend. Up went the flag. Never had this been done before. Scarcely had he arrived ... "Fine," said the student.

Word order: adverbs. Within the sentence, an adverb (or adverbial expression) of time comes before an adverb (or adverbial expression) of place ("time before place," contrary to English!). See the second example under (a).

20. Word order: verb first. When the verb comes first, the sentence may be a question or an imperative (see also § 118):

Warten Sie? *Do you wait? Are you waiting?*
Warten Sie! *Wait.*
Warten wir! *Let us wait.*
Gehen wir! Laß uns gehen! Lassen Sie uns gehen! *Let us go.*

21. Word order: verb forms. If the sentence has more than one verb form, these rules apply to the inflected verb (the verb form which shows singular or plural, person, and tense — usually an "auxiliary" verb). The other verb forms (infinitives and participles) stand at the end (§ 9).

Jetzt kann ich Sie besser verstehen. *Now I can understand you better.*

Übungen

A. Supply the proper form of the dative and then translate each sentence:

1. Linda wünscht — Studenten Glück bei — Prüfung. 2. Wir gehen zu — Deutschklasse. 3. Um (*at*) zwölf Uhr kommen alle aus — Klasse. 4. Ihr Vater wartet vor — Universität. 5. Er steht noch bei — Professor. 6. Nach — Unterricht geht Peter mit — Vater nach Haus-. 7. Eßt ihr heute zu Haus- oder in — Restaurant? 8. Wir warten hier seit ein- Stunde.

B. Replace the nouns in the prepositional expressions by personal pronouns:

Example: Wir gehen zu Paul. — Wir gehen zu ihm.

1. Anna geht zu ihrer Mutter. 2. Peter geht mit seinem Vater. 3. Sie sprechen mit Linda. 4. Sie stehen noch bei dem Lehrer. 5. Wir gehen zu unserer Mutter.

C. Begin the following sentences as indicated (§ 19b):

(*a*) *with the adverbial expression of time:* 1. Wir essen nicht vor fünf Uhr. 2. Ich warte hier nach der Stunde. 3. Du kommst spät.

(b) *with the adverbial expression of place:* 4. Sie essen heute im Restaurant. 5. Paul steht am Eingang zur Universität. 6. Wir gehen zur Buchhandlung.

(c) *with the object (including quotations):* 7. Ich brauche ein Heft. 8. Peter sagt zu Paul: „Endlich kommst du." 9. Paul antwortet: „Wir hatten eine Prüfung."

D. Supply the words indicated in parentheses:

1. (*After the*) Stunde gehe ich (*home*). 2. Paul geht (*to the*) Buchhandlung. 3. Seine Mutter ist heute nicht (*at home*). 4. Die Studenten stehen (*with, near the*) Professor und sprechen (*with him*). 5. Warte (*with the*) Beileid bis morgen! 6. Wir tun alles (*at its*) Zeit.

E. Answer in complete German sentences:

1. Bis wann hat Paul Unterricht? 2. Wann ist Paul fertig? 3. Geht Paul nach der Stunde nach Hause? 4. Warum hat er Zeit? 5. Wo essen Paul und sein Vater zu Mittag? 6. Wann kommt der Vater zur Universität? 7. Wer braucht ein Buch? 8. Was braucht Paul?

9. Wer wartet nach der Stunde? 10. Wann kommt Paul aus der Klasse? 11. Warum kommt er so spät? (Er hatte...) 12. Was wünscht Peter ihm? Warum? (Eine...) 13. Warum kann Peter jetzt nicht zur Buchhandlung gehen? (Es ist...) 14. Hat Paul morgen wieder eine Prüfung?

F. Translate:

1. Excuse (me — *omit*), please! I have no time. 2. Fortunately, life is not yet too difficult. 3. You are right. 4. Let us go and have a cup of coffee. 5. No, thanks, it is time to go home (*order:* to [2] go [3] home [1]).

Vierte Aufgabe

Prepositions with Accusative

Prepositions with Dative or Accusative

Am folgenden Tage

PETER. Heute hast du wohl keine Prüfung, Paul?

PAUL. Nein, die Prüfung von gestern war genug für eine Woche.

PETER. Also war es doch eine Fünf?

PAUL. Nicht ganz, aber eine Vier.

PETER. Ich gratuliere.

PAUL. Nichts zu gratulieren! Angenehm ist es nicht, so dumm zu sein.

PETER. Ich wiederhole also mein Beileid von gestern.

PAUL. Nun genug von der Prüfung! Was tun wir heute nachmittag? Gehen wir in die Stadt? Die Buchhandlung hier bei der Universität ist nicht so gut; die Buchhandlung in der Stadt ist viel besser.

PETER. Mir ist es recht. Meine Mutter hat morgen Geburtstag, und ich will ein Buch für sie kaufen. Sei zwischen vier und fünf Minuten nach vier hier!

PAUL. Gut, ich bin um vier Uhr wieder hier. —

PETER (*zu sich selbst*). Es ist Punkt vier nach meiner Uhr, und da kommt auch schon Paul.

PAUL. Guten Tag, Peter! Heute brauche ich mich nicht zu entschuldigen!

PETER. Schön, also gehen wir!

PAUL. Wir fahren besser mit dem Autobus.

PETER. Auch gut.

Peter und Paul fahren mit dem Autobus bis ans Rathaus. Sie gehen über den Platz und stehen vor der Buchhandlung. Sie liegt neben dem Rathaus. Im Laden kauft Paul ein Mathematikbuch, ein Heft und Papier. Peter aber kauft für seine Mutter ein Buch mit Landschaften [1] von Dürer.[2] Dann gehen sie

---

[1] Dative plural. [2] **von Dürer** *by Dürer* (painter, around 1500).

in ein Restaurant. Es liegt gleich hinter der Buchhandlung. Sie trinken eine Tasse Kaffee, essen ein Stück Kuchen und fahren nach Hause.

Wortschatz

angenehm agreeable, pleasant
der Autobus bus
besser better
dort there
dumm stupid
fahren drive, ride; go (*by vehicle*); — **mit** + *dat.* take
die Fami'liĕ family
folgen follow; **folgend** following; **am folgenden Tage** on the following day
ganz whole; quite
der Geburts'tag birthday
gestern yesterday
gleich (*adv.*) immediately, right (away)
gratulie'ren *with dat.* congratulate
kaufen buy
der Laden store, shop
die Landschaft, *pl.* **-en** landscape, scenery
legen lay, place, put
liegen lie, be located, be situated
mich me, myself
die Minu'te minute
das Mittagessen (*noon*) dinner, lunch

der Nachmittag afternoon; **am** — in the afternoon; **heute nachmittag** this afternoon
der Platz place, square
der Punkt point, dot; — **vier (Uhr)** four o'clock sharp
das Rāthaus city hall
recht right; **es ist mir** — it suits me
schön beautiful; fine; all right
selbst himself, herself, itself, themselves
die Straße street
vier four; **die Vier** (*grade of*) D; **viert-** fourth
wieviel how much; **um** — **Uhr** at what time
will: ich (er) — I (he) want(s) (to) (*from* **wollen** want)
wo where
die Woche week
woher' from where, whence
wohin' where, whither, to what place
wohl well; probably, I suppose
For prepositions see §§ 22–25.

Grammar

22. *PREPOSITIONS* always used with the accusative are: **durch, für, gegen, ohne, um, wider** (memorize and learn meanings well).

Most of them express motion toward, through, and around (not away from, § 15):

durch *through; by (means of)*
für *for*
gegen *against; toward(s)*
ohne *without*
um *around, about*
wider *against* [1]

---

[1] Nowadays **wider** is much less common than **gegen**. It survives mainly in compounds. It may be omitted from the memorized list.

The preposition **bis** *until* is usually combined with another preposition: **bis nach, bis zu** (both with dative), **bis an, bis auf, bis in, bis vor,** etc. (all with accusative), all of which can be translated *up to, as far as.*

23. Some prepositions are used always with the genitive (§ 27), always with the dative (§ 15), or always with the accusative (§ 22). The following take either the dative or the accusative depending on the context [1] (memorize and learn meanings well):

an *at; to; on (the side of)*	**neben** *next to, beside*	**vor** *before, in front of*
auf *upon, on (the top of)*	**über** *over, above; across; about, concerning*	**zwischen** *between*
hinter *behind*	**unter** *under, below; among*	
in *in; into*		

These can indicate either rest in place (or time) or motion to a point in place (or time). They are used with the dative when they refer to "place where, time when," but with the accusative when they refer to "place or time to which" (when they have a directional meaning):

Das Buch liegt auf dem Tisch.   *The book is lying on the table.*
Ich lege das Buch auf den Tisch. *I lay the book on the table.*
Die Studenten sind in der Klasse. *The students are in the classroom.*
Die Studenten gehen in die Klasse. *The students go into the classroom.*

Notice: **nach** and **zu** always take the dative (§ 15), even when they have a directional meaning.

24. Prepositions are often contracted with articles, especially:

DAT.	ACC.
am = an dem	ans = an das
im = in dem	ins = in das
vom = von dem	
zum = zu dem	
zur = zu der	

In the contraction the long vowel of **zu** is shortened in **zum** and usually in **zur.**

25. Compounds of **da(r)**– with a preposition take the place of prepositions followed by personal pronouns (**für ihn, mit ihm,**

---

[1] Comparable to the choice between ablative and accusative after certain Latin prepositions.

unter ihnen, etc.) when the reference is not to a person; **da–** is used before consonants, **dar–** before vowels:

dafür *therefor, for it, for them*	**darauf** *thereupon, on, upon it (them)*
damit *therewith, with it (them)*	
danach *thereafter, after it (them)*	**darüber** *over it, above it; about it (them)*
daran *thereon, at, to, on it (them)*	

Compare legal English: services and payment therefor.

In questions **wo(r)–** replaces personal pronouns when the reference is not to a person (antiquated usage in English):

wofür *wherefore, for what*	**worin** *wherein, in what*
wovon *whereof, of what, from what*	**worauf** *whereupon, on what,* etc.
woran *whereat, at what*	

In all these compounds the stress is either on the first or on the second syllable, depending on the desired emphasis.

Übungen

A. Supply the proper form of the definite article:

1. Karl geht in — Schule. 2. Die Schüler sind in — Klasse. 3. Der Lehrer geht durch — Klasse. 4. Die Schüler arbeiten für — Prüfung in Mathematik. 5. Sie haben nichts gegen — Prüfung. 6. Sie schreiben in — Heft. 7. Dann schreiben sie ihren Namen unter — Prüfung. 8. Jetzt kommen sie aus — Schule. 9. Peter und Paul fahren in — Stadt. 10. Sie kaufen in — Buchhandlung ein Buch. 11. Peter kauft ein Buch für — Mutter. 12. Karl und Anna gehen in — Restaurant neben — Schule. 13. Am Nachmittag geht Paul ohne — Vater in — Stadt.

B. Supply the words indicated in parentheses, then translate the sentences:

1. Sie gehen (*through the*) Universitätsstraße (*to the*) Schule. 2. (*Next to the*) Schule ist ein Laden. 3. (*In front of the*) Laden steht ein Herr. 4. Sie sprechen (*about the*) Prüfung. 5. Sie haben nichts (*against the*) Lehrer und seine Prüfung. 6. Karl geht (*into the*) Restaurant. 7. Kauft ihr kein Buch (*for the*) Mutter? 8. Die Studentin geht (*without her*) Buch (*into the*) Klasse. 9. Lege das Heft (*under the*) Buch! 10. Es liegt (*under the*) Buch. 11. (*In the afternoon*) fahren wir in (*the*) Stadt. 12. Der Lehrer geht auf (*the*) Straße. 13. Nun steht er auf (*the*) Straße (*in front of the*) Schule. 14. (*Behind the*) Rathaus ist ein Restaurant. 15. Paul geht (*around the*) Rathaus (*into the*) Restaurant.

C. In the prepositional expressions, replace the nouns by personal pronouns or by **da(r)-**, *as the sentence requires:*

> *Examples:* Ihr geht mit dem Vater. — Ihr geht mit ihm.
> Neben dem Rathaus ist ein Laden. — Daneben ist ein Laden.

1. Ich kaufe ein Buch für meine Mutter. 2. Nun haben wir genug von der Prüfung! 3. Haben Sie etwas gegen den Lehrer? 4. Wir sprechen über die Prüfung. 5. Wir gehen ohne die Mutter. 6. Ich arbeite noch für die Deutschstunde.

D. In C, formulate questions to which the prepositional expressions are answers:

> *Examples:* Ihr geht mit dem Vater. — Mit wem geht ihr?
> In Mathematik lerne ich nichts. — Worin lernst du nichts?

E. Answer in complete German sentences:

1. Hat Paul wieder eine Prüfung? 2. Wie war die Prüfung von gestern? 3. Warum gratuliert Peter? 4. Was ist Paul nicht angenehm? 5. Was tun sie nach dem Mittagessen? 6. Warum gehen sie nicht in die Buchhandlung bei der Universität? 7. Für wen will Peter ein Buch kaufen?

8. Um wieviel Uhr wartet Peter auf Paul? 9. Wann kommt Paul? 10. Gehen oder fahren Peter und Paul in die Stadt? 11. Wo liegt die Buchhandlung? 12. Was kauft Paul? 13. Was für ein (*what kind of*) Buch kauft Peter? 14. Wohin gehen sie von der Buchhandlung? 15. Wo liegt das Restaurant? 16. Was trinken und essen sie dort? 17. Wohin fahren sie dann?

F. Translate:

1. At what time will (do) you come? 2. This afternoon at five o'clock. 3. All right, it suits me. 4. Now it is four o'clock according to my watch. 5. Let's go into a restaurant and have a cup of coffee!

Fünfte Aufgabe

Genitive

Prepositions with the Genitive

Nouns, Class 1

Personal and Reflexive Pronouns

„Hoch soll sie leben!"

Heute feiern wir den Geburtstag meiner Mutter. Meine Brüder sind schon da. Sie besuchen die Universität, sind aber für den Geburtstag ihrer Mutter zu Hause. Erich studiert Biologie an der Universität Bonn, und Karl Mathematik in Göttingen. Meine Schwester ist Lehrerin und kommt erst nach der Schule nach Hause. Aber mein Großvater, der Vater meiner Mutter, kommt trotz des Regens schon zum Mittagessen. Er wohnt während des Sommers bei einer Tochter auf dem Lande und kommt heute nur wegen des Geburtstags der Mutter in die Stadt. Vater ist noch in seinem Büro in der Stadt. Aber am Mittag zwischen zwölf und zwei ist er immer frei, und heute hat er auch den Nachmittag frei. So können wir zusammen den Geburtstag der Mutter feiern.

Es ist zwölf Uhr. Auf dem Tische stehen die Teller und die Gläser. Aus der Küche strömt der Duft eines Bratens. Nun erscheinen alle im Eßzimmer. Die Mutter sitzt am oberen Ende des Tisches. Alle gratulieren ihr zum Geburtstag. Vater füllt die Gläser, und wir alle trinken auf das Wohl der Mutter und singen: „Hoch soll sie leben! Hoch soll sie leben, dreimal hoch!" Dann geben wir der Mutter unsere Geschenke. Meine Schwester bringt Kuchen und Kaffee mit Zucker und Sahne. Dann spielt sie einige Stücke auf dem Klavier. Großvater raucht seine Pfeife; mein Vater und meine Brüder rauchen Zigaretten. Meine Schwester setzt sich zu der Mutter und öffnet die Geschenke für sie. Sie freut sich sehr darüber, und wir alle freuen uns mit ihr.

Wortschatz

besu'chen visit; attend
die Biologie' biology
der Braten, –s, — roast
der Bruder, –s, ⸚ brother
das Büro', –s, –s office, bureau
da there; present
dreimal three times
der Duft, –es, ⸚e fragrance
einige some, a few
das Ende, –s, –n end
erschei'nen appear
erst first; only, not until
das Eßzimmer, –s, — dining room
feiern celebrate
frei free
sich freuen (über + acc.) be glad (about), rejoice (at)
füllen fill
fünft– fifth
geben give
das Geschenk', –s, –e gift
das Glas, –es, ⸚er glass
der Großvater, –s, ⸚ grandfather
hoch (before vowel hoh–) high; — soll sie leben! long may she live!
immer always, ever
Karl, –s Charles
das Klavier', –s, –e piano
die Küche, –n kitchen

das Land, –es, ⸚er land, country; auf dem Lande in the country
leben live
die Lehrerin, –nen (female) teacher
ober– upper; das obere Ende the upper end, head (of table)
öffnen open
die Pfeife, –n pipe
rauchen smoke
der Regen, –s, — rain
die Schwester, –n sister
setzen set, place; sich — sit down, take a seat (zu next to)
singen sing
sitzen sit, be seated
sollen be (supposed) to; sie soll she is to
spielen play
der Sommer, –s, — summer
strömen stream, waft
studie'ren study (only for university students), be a student (of, at)
der Teller, –s, — plate
die Tochter, ⸚ daughter
das Wohl, –(e)s welfare, health
wohnen live, reside, dwell
die Zigaret'te, –n cigarette

For prepositions see § 27.

Grammar

26. The *GENITIVE* (possessive) indicates ownership and comparable relations:

> das Haus des Vaters (*or in literary style:* des Vaters Haus) *the house of the father, the father's house*
>
> der Geburtstag ihrer Mutter (ihrer Mutter Geburtstag) *the birthday of their mother, their mother's birthday*

Notice: there is no apostrophe in German before the ending –s. Only masculine and neuter singular have a genitive –s.

27. The genitive is always used after certain prepositions which contain *of* in the English translations (except **während**). The most important are:

anstatt, statt *instead of*	**während** *during*
trotz *in spite of*	**wegen** *because of, on account of*

Other, less common, prepositions with the genitive are: **außerhalb** *outside of*, **innerhalb** *inside of*, **diesseits** *on this side of*, **um . . . willen** *for the sake of*, etc. They can be learned as vocabulary items when they occur.

28. The genitive is used with many adjectives and verbs in literary language: **wert** *worthy of*, **vergessen** *forget*, **sich erinnern** *remember*. They can be learned as vocabulary items as they occur. In conversational language this construction is avoided. An accusative (**vergessen** + *acc.*) or a prepositional phrase (**sich erinnern an** + *acc.*) is used or the thought is expressed differently.

29. The genitive is also used to state indefinite time: **eines Tages** *one day*, **eines Abends** *one evening* (compare accusative of time, § 7c).

30. Genitive forms:

MASC.	FEM.	NEUT.	
des	der	des	*of the*
eines	einer	eines	*of a*
keines	keiner	keines	*of no*
meines	meiner	meines	*of my*
wessen	wessen	—	*whose*

The genitive of personal pronouns has become rare: **ich —meiner** or **mein, er — seiner** or **sein**, etc.: **Vergißmeinnicht** (§ 28) *forget-me-not;* compare **Vergiß** (§ 55) **mich nicht** *Do not forget me.*

31. Genitive of nouns. Feminine nouns have the same form for all cases of the singular:[1] **der Mutter** *of the mother*, **der Aufgabe** *of the lesson*.

Most masculine and neuter nouns add –s or –es in the genitive singular. To facilitate pronunciation –es is used after the hissing sounds **s, ß, z** and usually after **sch** (as English inserts a vowel

---

[1] Feminine names are used with a genitive –s: **Maries** *Mary's*, **Annas** *Ann's;* likewise **Mutter** when used like a name (without article): **Mutters Geburtstag** *Mother's birthday.*

in the pronunciation of *boss's*, *fox's*): **des Hauses** *of the house*, **des Flusses** *of the river*, **des Schatzes** *of the treasure;* usually **des Tisches** *of the table*.   Otherwise, in literary language –es is preferred in words of one syllable: **des Tages** (**des Tags**); but **des Professors, des Fräuleins.**

A number of masculine nouns (Class 4, § 44) take –en in all cases except the nominative singular: **der Mensch** *man, human being*, **des Menschen** *of* (*the*) *man.*

32. The *PLURAL* of the definite article is for all genders (in the order nominative, genitive, dative, accusative): die, der, den, die; **ein**-words: keine, keiner, keinen, keine; meine, meiner, meinen, meine, etc.

The plural of nouns varies in five patterns ("classes"). Classes 2 (mostly masculines and neuters) and 4 (mostly feminines) can be considered regular.

CLASS 1 adds no ending in the nominative plural, but often has umlaut:

> der Vater — die Väter, der Väter, den Vätern, die Väter
> die Mutter — die Mütter, der Mütter, den Müttern, die Mütter

Class 1 includes only nouns of more than one syllable ending in –e, –l, –n, or –r, mostly masculine. It also includes two feminines: **Mutter** and **Tochter.** Among the neuters are the diminutives in –chen and –lein, which can be formed (with addition of umlaut where possible) from any noun of whatever gender: **das Väterchen, das Mütterlein.**

Terms of weight, measure, and currency also have an unchanged plural:

> 3 Gramm, 4 Fuß, 100 Mark, 10 Dollar, 6 Grad *6 degrees*

Notice: the dative plural adds –**n,** unless the nominative plural already has an –**n.**   This is true of all declension classes (except for a few foreign nouns with a plural in –s, § 46): der Sohn *son* — die Söhne, den Söhnen; der Garten — die Gärten, den Gärten.   In fact, *the dative plural ends everywhere in* –***n:*** meinen jungen Söhnen; den schönen Gärten.

Vocabulary Note. Nouns are listed (as for Latin) with three forms (nominative singular, genitive singular, and nominative plural): **der Braten, –s, —,** which means **der Braten, des Bratens, die Braten** (no umlaut); **der Duft, –(e)s, ⸚e,** which means **der Duft, des Duft(e)s, die Düfte** (with umlaut). All other cases can be derived from them: der Duft, des Duft(e)s, dem Duft(e), den Duft; die Düfte, der Düfte, den Düften, die Düfte.

The plural is omitted if it is not in common use: **Karl, –s.** Since feminines do not change in the entire singular (§ 31) their genitive singular is also omitted in this book: **die Tochter, ⌐** means **die Tochter, der Tochter, die Töchter.** Nouns should be learned with these "principal parts."

33. Declension of *PERSONAL PRONOUNS:*

PERSON	SINGULAR				PLURAL			
First	ich	(meiner)	mir	mich	wir	(unser)	uns	uns
Second	du	(deiner)	dir	dich	ihr	(euer)	euch	euch
Third masc.	er	(seiner)	ihm	ihn				
fem.	sie	(ihrer)	ihr	sie	sie	(ihrer)	ihnen	sie
neut.	es	(seiner)	ihm	es				
					Sie	(Ihrer)	Ihnen	Sie

The forms of the polite address **Sie** are always capitalized; those of the familiar address **du, ihr** only in letters.

The *REFLEXIVE PRONOUN* is like the personal (but it has no nominative). The third person, however, is always **sich,** for singular and plural, dative and accusative, any gender:

ich frage mich *I ask myself*
du fragst dich *you ask yourself*
er (sie, es) fragt sich *he (she, it) asks himself (herself, itself)*
sie (Sie) denken bei sich *they (you) think to themselves (yourself, yourselves)*

The reflexive **sich** is never capitalized.
For the conjugation of reflexive verbs, see § 145.

Notes. (1) German uses more reflexive verbs than English. English instead often uses a passive (§ 110) or omits the reflexive: **Ich fühle mich wohl.** *I feel well.*

(2) The reflexive **sich** is identical with the reciprocal **sich** *each other:* **sie lieben sich** means either *they love themselves* or *they love one another.* Clarification: **sie lieben sich selbst (selber)** or **sie lieben einander.** **Selbst** and **selber** are indeclinable (do not change their form).

Selbst before a noun or pronoun means *even:* **selbst die Mutter** *even the mother;* **selbst er** *even he* (compare **er selbst** *he himself*).

WORD ORDER. Reflexive and reciprocal pronouns usually come early in the sentence (§ 150 C 7).

Übungen

A. *Supply genitive articles and endings:*

1. Heute ist der Geburtstag mein– Großvater–. 2. Er ist der Vater mein– Mutter. 3. Er wohnt in dem Hause ein– Bruder–. 4. Während — Sommer– kommt er nicht in die Stadt. 5. Der Vater unser– Vater– lebt nicht mehr. 6. Mein Vater ist Professor — Mathematik an der Universität unser– Stadt. 7. Der Name mein– Schwester ist Linda. 8. Der Vater — Schüler– wartet am Eingang — Schule. 9. Trotz — Regen– wartet er.

B. *Supply proper forms of the articles and endings:*

1. Der Student geht zu sein– Professor und spricht mit ihm über — Prüfung. 2. Paul kommt aus — Deutschklasse. 3. Er steht bei ein– Studentin vor — Restaurant. 4. Nach — Unterricht gehen sie nicht nach Haus–. 5. Sie fahren mit — Autobus in — Stadt. 6. Dort gehen sie in ein– Buchhandlung. 7. Maria kommt wegen — Regen– so spät. 8. Während — Nacht hatten wir viel Regen.

C. *Express in the plural:*

1. Mein Bruder ist heute nicht hier. 2. Der Schüler dankt dem Lehrer. 3. Der Sommer ist sehr schön. 4. Der Kuchen ist sehr gut. 5. Der Schüler steht bei dem Lehrer. 6. Der Lehrer hat eine Tochter. 7. Wo ist die Mutter? 8. Wie geht es Ihrem Bruder?

D. *Answer in complete German sentences:*

1. Wessen Geburtstag ist heute? 2. Wer kommt zum Geburtstag der Mutter nach Hause? 3. Wo studieren Erich und Karl? 4. Wann kommt die Schwester nach Hause? 5. Wo wohnt der Großvater während des Sommers? 6. Wann ist der Vater frei?

7. Wo feiert die Familie den Geburtstag der Mutter? 8. Warum füllt der Vater die Gläser? (Alle trinken . . .) 9. Was tut die Schwester nach dem Mittagessen? 10. Was tun der Vater und die Brüder?

E. *Translate:*

1. My grandfather lives in the country. 2. It is very agreeable during the summer. 3. Where does his brother study? 4. Where does his sister go? 5. Instead of her mother, Maria is coming home.

REVIEW EXERCISES
lessons 1–5

A. Word Order. *(a) Insert the expressions in parentheses; (b) begin the sentences with them.*

Example: Wir lernen die fünfte Aufgabe (heute). (a) Wir lernen heute die fünfte Aufgabe. (b) Heute lernen wir die fünfte Aufgabe.

1. Wir haben keinen Unterricht (heute). 2. Sie fahren in die Stadt (heute nachmittag). 3. Er ist auf dem Lande (im Sommer). 4. Vater ist im Büro (jetzt). 5. Sie kommen zu uns (um vier Uhr).

B. Verbs. *State in the corresponding person of the singular:*

Example: Wir haben keine Zeit. — Ich habe keine Zeit.

1. Seit wann wartet ihr? 2. Ihr öffnet die Geschenke. 3. Entschuldigt mich! 4. Sie feiern den Geburtstag (er *or* sie . . .). 5. Raucht ihr Zigaretten? 6. Wir wünschen eine Tasse Kaffee. 7. Sie trinken auf das Wohl ihrer Mutter (er *or* sie . . .).

C. Prepositions. *(a) Supply the proper form of the article; add ending where indicated:*

1. Wegen — Prüfung fahre ich heute nicht in — Stadt. 2. Die Schüler stehen bei — Lehrer und sprechen über — Aufgabe. 3. Gehst du nicht aus — Hause? 4. Du bist viel auf — Straße. 5. Mutter ist zu viel in — Küche. 6. Die Studenten stehen vor — Buchhandlung. 7. Während — Regen- gehen wir nicht aus — Haus-. 8. Unter — Schüler- ist auch Karl. 9. Sie lernen für — Prüfung. 10. Sie gehen durch — Laden. 11. Trotz — Regenfahren wir in — Stadt. 12. Anna sitzt an — Klavier. 13. Die Zigaretten liegen auf — Tisch(-) zwischen — Teller- und — Tasse-.

(b) Supply the proper form of the words in parentheses:

1. Wann kommt ihr (*home*)? 2. Meine Mutter ist nicht (*at home*). 3. Wir warten schon seit (*one*) Stunde. 4. Wir beginnen ohne (*her*). 5. Der Professor steht noch bei (*my*) Vater.

(c) Substitute **da(r)**- *plus preposition for the prepositional phrases:*

1. Die Pfeife liegt auf dem Klavier. 2. Karl spielt wieder mit der Uhr. 3. Das Buch liegt unter dem Tisch. 4. Er hat viel Zeit, aber er tut nichts mit der Zeit.

D. Vocabulary Building. (a) *Analyze the following nouns.*

> *Example:* die Morgenstunde = der Morgen, *morning* + die Stunde, *hour: morning hour*

1. das Mittagessen   2. das Schulhaus   3. das Klavierstück
4. der Geburtstagskuchen

> (b) *Form compound nouns and give their meaning.*

> *Example:* die Mathematik, *mathematics* — das Buch *book:* das Mathematikbuch *mathematics book*

1. Kaffee — Tasse 2. Kaffee — Kuchen 3. Biologie — Unterricht 4. Braten — Duft 5. Büro — Stunde 6. Klavier — Übung 7. Sommer — Zeit 8. Vater — Land

Sechste Aufgabe

Die Begegnung

Herr und Frau Frank sind auf dem Wege zur Stadt. „Dort kommt Herr Kunz," sagt Herr Frank zu seiner Frau und zeigt in eine Seitenstraße. „Wer ist Herr Kunz?" fragt Frau Frank ihren Mann. „Er war doch bei mir im Büro." „Wann war das?" „Vor zwei Jahren. Nun, da ist er schon."

Herr Frank sagt zu Herrn Kunz: „Darf ich Sie meiner Frau vorstellen? Herr Kunz — meine Frau." „Sehr angenehm!" sagt Herr Kunz. Herr Frank fragt: „Nun, mein Freund, wie geht es Ihnen?" Herr Kunz antwortet: „Ziemlich gut, wie immer." „Also recht gut. Gehen Sie etwa auch in die Stadt? Dann können wir ein Stück des Weges zusammen gehen." „Ich habe nichts dagegen. Sie erlauben, gnädige Frau?" „Natürlich; die Freunde meines Mannes sind auch meine Freunde."

„Nun, mein lieber Herr Kunz, erzählen Sie! Was tun Sie? Sind Sie noch Sekretär bei der Stadt? Sind Sie verheiratet? Haben Sie Söhne und Töchter? Oder wollen Sie ohne Familie durchs Leben gehen?" „Bei der Stadt bin ich noch, aber verheiratet bin ich nicht. Entschuldigen Sie, gnädige Frau, aber eine Frau ist nichts für mich." „Aber ich bitte Sie, mein Freund, reden Sie keinen Unsinn! Eine Frau ist doch unser Glück! Was sagst du dazu, Erna?" „Wir Frauen möchten euer Glück sein; das ist wahr. Ich helfe meinem Mann und hoffe, ihn glücklich zu machen." „Nun, hier sind wir am Ziel. Wir wünschen Ihnen viel Glück, Herr Kunz." „Auf Wiedersehen, gnädige Frau! Auf Wiedersehen, Herr Frank!"

31

„So ist das Leben, mein Schatz," sagt Herr Frank zu seiner Erna. „Einer ist glücklich mit seiner Frau, ein anderer ist glücklich ohne Frau. Aber ich glaube, mein Schicksal ist besser als seines." Dann gehen sie in einen Laden, und Herr Frank kauft seiner Frau einen Hut.

Wortschatz

ander– other

die **Begeg'nung**, –en meeting, encounter

dage'gen against it; **ich habe nichts** — I have no objection

darf: ich (er) — I (he) may (*from* **dürfen** be allowed to)

das that

dazu' to it, to that

doch yet; after all (*often marks mild protest:* Don't you remember? Don't you know? *May be omitted.*)

erlau'ben allow, permit

erzäh'len tell, relate, tell a story

etwa by any chance, perhaps

die **Frau**, –en woman; wife; Mrs.

der **Freund**, –es, –e friend

glauben believe

glücklich happy; fortunate

gnädig gracious; **gnädige Frau** Madam

helfen (*with dat.*) help

hoffen hope

ihnen to them; **Ihnen** to you (*polite*)

das **Jahr**, –es, –e year

lieb dear

machen make

der **Mann**, –es, ⸚er man; husband

möchten: wir (sie) — we (they) would like to

natür'lich natural(ly), of course

nun now; (*followed by comma*) well

recht right; — **gut** quite well

reden talk, speak

der **Schatz**, –es, ⸚e treasure; sweetheart

die **Seitenstraße**, –n (= die **Seite**, –n side + die **Straße**, –n street) side street

der **Sekretär'**, –s, –e secretary

der **Sohn**, –es, ⸚e son

der **Unsinn**, –s nonsense

verhei'raten marry; **verhei'ratet** married

vor before; — **zwei Jahren** two years ago

vor-stellen [1] place before, introduce

der **Weg**, –es, –e way

wie how; as, like

zeigen show; point (out)

das **Ziel**, –es, –e aim, goal, destination

ziemlich fairly, rather, pretty

Grammar

34. The *POSSESSIVE ADJECTIVES* are: **mein** *my*, **dein** (*thy*) *your*, **sein** *his, its*, **ihr** *her, its*, **sein** *its*; **unser** *our*, **euer** *your*, **ihr** *their*, **Ihr** *your*.

---

[1] The hyphen indicates that the prefix of the verb is separable (§ 49). It is used as an aid in vocabularies.

To these basic forms are added endings determined by the case, gender, and number (singular or plural) of the following noun. Possessives are **ein**-words (§ 2); their endings are the same as those of **ein** and **kein**:

Sing. masc.	ein	eines	einem	einen
	kein	keines	keinem	keinen
	mein	meines	meinem	meinen
	unser	unseres	unserem	unseren
fem.	eine	einer	einer	eine
	keine	keiner	keiner	keine
	meine	meiner	meiner	meine
	unsere	unserer	unserer	unsere
neut.	ein	eines	einem	ein
	kein	keines	keinem	kein
	mein	meines	meinem	mein
	unser	unseres	unserem	unser
Plur.	keine	keiner	keinen	keine
	meine	meiner	meinen	meine
	unsere	unserer	unseren	unsere

Next to **r** an unstressed **e** may be dropped: **unsers** or **unsres, unsern** or **unsren, unsre,** etc.; **euers** or **eures, euerm** or **eurem,** etc.

35. Notice that three forms of the **ein**-words (marked by underlined e̲i̲n̲) have no ending: **ein, kein, mein, unser,** etc. In these three cases the **ein**-words differ from the **der**-words (§ 39), the corresponding forms of which end in **–er** or **–(e)s**.

Notice that **–er** in **unser, euer** is not a grammatical ending; it corresponds to the **–r** of *our, your.*

36. When the possessives and the other **ein**-words are used as *PRONOUNS* (without a noun following) they add the **–er** or **–(e)s** of the **der**-words in these three cases:

Nom. sing. masc. **einer** *one,* **keiner** *no one, none,* **meiner** *mine,* **uns(e)rer** *ours,* etc.

Nom. and acc. sing. neut. **ein(e)s, kein(e)s, mein(e)s, uns(e)res** or **unsers,** etc.:

Ist dort ein Garten? — Ja, dort ist einer.
Ist das Ihr Haus? — Ja, es ist mein(e)s.

37. Nouns of *CLASS 2* add **–e** and often umlaut in the nominative plural. Most masculines (usually with plural umlaut) are in

Class 2; also some common one-syllable feminines (with umlaut) and many one-syllable neuters (usually without umlaut): [1]

der Freund — die Freunde, der Freunde, den Freunden, die Freunde
der Sohn — die Söhne, der Söhne, den Söhnen, die Söhne
die Nacht — die Nächte, der Nächte, den Nächten, die Nächte
das Jahr — die Jahre, der Jahre, den Jahren, die Jahre

38. The *DATIVE* is normally translated by a form with *to* (§ 14):

Es gehört dir. *It belongs to you.*
Es scheint mir. *It seems to me.*

In addition, German uses the dative with some verbs where *to* is not added in English. The most important are: **begegnen** *meet,* **danken** *thank,* **dienen** *serve,* **drohen** *threaten,* **folgen** *follow,* **gefallen** *please,* **gelingen** *succeed,* **helfen** *help:*

Ich danke Ihnen. *I thank you (I give thanks to you).*
Sie helfen dir. *They help you (they extend help to you).*

The verbs **befehlen** and **glauben** take the dative only for the person: **Ich befehle dir.** *I command you.* **Er glaubt Ihnen.** *He believes you.* BUT **Ich befehle es.** *I command it.* **Er glaubt die Geschichte.** *He believes the story.* Both objects can be combined: **Ich befehle es dir.** *I order you (to do) it.* **Sie glaubt es Ihnen.** *She believes it. She believes you.*

Antworten takes only an object of the person: **Er antwortet mir.** *He answers me.* The sentence *He answers the question* is **Er antwortet auf die Frage** or **Er beantwortet die Frage.** The prefix be– often enables a verb to take a direct object (accusative).

In addition the dative is used with many compound verbs. Few of them are used in this elementary book: **entfliehen** *flee from,* **zufallen** *fall to,* **abgewinnen** *win from* (dative of person).

Übungen

A. Replace the indirect objects by personal pronouns:

1. Die Mutter dankt ihren Söhnen für die Geschenke.   2. Der Schüler antwortet dem Lehrer auf seine Frage.   3. Paul kauft seiner Mutter ein Buch.   4. Der Vater erzählt seinem Sohne die Geschichte seines Lebens.   5. Ich glaube meinem Freunde die Geschichte nicht ganz.   6. Peter zeigt seinem Lehrer die Aufgabe.   7. Meine Brüder wünschen der Schwester viel Glück.

[1] Since the nouns of Class 1 (§ 32) end in **e, l, n,** or **r** — sounds which tend to reject an unstressed e next to them (§§ 9, 34) — it is possible to consider Class 1 a subdivision of Class 2, with the plural ending –e lost for phonetic reasons.

B. In A, sentences 3–7, replace the direct objects by personal pronouns (§ 18).

C. In A, sentences 3–7, replace both the direct and the indirect objects by personal pronouns.

D. Supply possessives as indicated in parentheses:

1. Frau Frank geht mit (*her*) Manne in die Stadt.   2. Herr Kunz kommt aus (*his*) Büro.   3. Herr Kunz will (*to his*) Frau (*his*) Freund vorstellen.   4. (*My*) Schwester wartet auf (*her, acc.*) Freund.   5. (*Our*) Familie feiert den Geburtstag (*of our*) Vaters.   6. Wem zeigt ihr (*your*) Geschenke?   7. Kaufst du das Buch für (*your*) Vater oder für (*your*) Mutter?   8. (*Our*) Freunde kommen heute mit (*their*) Töchtern.

9. Ist das (*your, polite*) Buch?   Nein, es ist nicht (*mine*); es ist (*yours*).   10. Ist das (*their*) Haus?   Ja, es ist (*theirs*). 11. Sind das (*your, fam. sing.*) Freunde?   Ja, es sind (*mine*).

E. State in the plural:

1. Der Tag ist angenehm.   2. Auch die Nacht ist jetzt schön. 3. Vor einem Jahre war ich in Deutschland.   4. Der Sohn raucht eine Zigarette.   5. Der Schüler geht in den Laden und kauft ein Heft.   6. Mein Freund ist verheiratet.

F. Answer in complete German sentences:

1. Wohin gehen Herr und Frau Frank?   2. Wer kommt aus der Seitenstraße?   3. Woher kennt (*knows*) Herr Frank Herrn Kunz? 4. Wie geht es Herrn Kunz?   5. Warum kann er ein Stück des Weges mit Herrn und Frau Frank gehen?   (Auch er . . .)   6. Was tut Herr Kunz?   7. Hat er eine Familie?   Warum nicht?   8. Was hofft Erna?

G. Translate (superior figures indicate the German sequence of the last six words in sentence 4):

1. Where are her presents?   2. My sister plays two pieces on the piano.   3. May I introduce my friends?   4. During the summer the nights are [2]not [3]always [4]pleasant [1]in the cities.   5. I live in the country; I am not very happy in the city.

Siebente Aufgabe

Ein Ausflug

„Seht, wie blau der Himmel ist! Was für wunderbares Wetter!
Die Luft ist frisch, und die Sonne scheint so schön! An so einem
Tage darf man nicht zu Hause bleiben," sagt der Vater am Morgen
zu seiner Familie. „Wohin kann man in einer Stadt wie Köln
gehen? und in der Nähe der Stadt ist auch nichts zu sehen,"
sagt meine Schwester. „Was für ein Unsinn! Bei diesem Wetter
bleiben wir natürlich nicht in der Stadt," antwortet Vater;
„was meint ihr zu einem Ausflug ins Siebengebirge?[1]" „Der
Gedanke ist einer Prüfung wert," sagt mein Bruder; manchmal
redet er wie ein Lehrer. Solche Worte von einem Knaben machen
mich wild. „Was für eine Prüfung?" frage ich; „hast du nicht
genug Prüfungen in der Schule? Wir machen einen Ausflug, und
das ist alles, nicht wahr, Vater?" „Redet nicht so viel!" sagt
lachend mein Vater; „macht euch fertig! Wir fahren um neun
Uhr mit der Bahn nach Godesberg.[2] Das Essen nehmen wir mit."
Endlich sitzen wir in der Bahn und sind in einer Stunde in
Godesberg. Von der Bahn gehen wir ans Schiff. Vor uns fließt
der Rhein, und jenseits des Rheines liegt im Sonnenschein das
Siebengebirge mit dem Drachenfels.[3] Dieser Berg ist unser Ziel.
Wir fahren über den Fluß und sind bald am Fuße des Berges.
„Wir Männer gehen zu Fuß," sagt der Vater; „ihr Frauen habt
die Wahl zwischen der Zahnradbahn[4] und einem Esel. Wählt!"
Mutter will mit der Zahnradbahn fahren; meine Schwester aber

---

[1] "Seven Mountains," a mountain range near Bonn.   [2] Town south of
Bonn.   [3] "Dragon Rock," called by Lord Byron "the castled crag of Drachenfels."   [4] (*lit.* 'tooth wheel road') *cogwheel railroad.*

36

will auf einem Esel reiten, und schon sitzt sie auf einem. „Nun,"
sagt die Mutter, „dann reite ich auch auf einem Esel. Bei solchem
Wetter ist das vielleicht gar nicht so schlecht." So reiten sie auf
den Berg. Aber mein Vater, mein Bruder und ich, wir steigen zu
Fuß hinauf.

Nicht viel später als die Frauen sind wir auch auf dem Berge
bei der Burgruine. Unter uns fließt der Rhein in der Mittagssonne,
und hinter uns liegen Wälder und Berge; welch ein Bild des
Friedens und des Glücks! Bald haben wir Hunger und essen, und
jeder hat Appetit für zwei. Wir bleiben ein paar Stunden auf
dem Berge und fahren dann mit dem Schiff nach Köln zurück.

Wortschatz

der **Appetīt'**, –s appetite
der **Ausflug**, –s, ⁼e excursion, trip,
  outing
die **Bahn**, –en road; railway
bald soon
der **Berg**, –es, –e mountain
das **Bild**, –es, –er picture
blau blue
bleiben remain, stay
die **Burg'rui'ne**, –n (= die **Burg**,
  –en castle + die **Rui'ne**, –n
  ruins) ruins of a castle
dürfen be allowed to; **man darf
  nicht** one must not
der **Esel**, –s, — donkey
das **Essen**, –s food
fließen flow
der **Fluß**, **Flusses**, **Flüsse** river
der **Friede(n)**, –ns peace
frisch fresh
der **Fuß**, –es, ⁼e foot; **zu —** on
  foot
gar: — nicht not at all
das **Gebir'ge**, –s, — mountain
  range
der **Gedan'ke**, –ns, –n thought,
  idea
der **Himmel**, –s, — sky, heaven
hinauf' up, upwards; *see* **steigen**
der **Hunger**, –s hunger; **— haben**
  be hungry

jenseits *gen.* on the other side of
der **Knabe**, –n, –n boy
Köln, –s Cologne
lachen laugh
die **Luft**, ⁼e air
machen make; **macht euch
  fertig!** get ready; **einen Ausflug —** go on an outing
manchmal sometimes
meinen mean; think; say; **— zu**
  think of
die **Mittagssonne** (= der **Mittag**,
  –s, –e midday, noon + die
  Sonne, –n sun) midday sun
die **Nähe** nearness, neighborhood,
  vicinity
nehmen take; **wir — mit** we take
  along
oft often
ein paar a few
reiten ride
der **Rhein**, –es Rhine
scheinen shine; seem
das **Schiff**, –es, –e ship, boat
schlecht bad
sehen see; look
die **Sonne**, –n sun; der **Sonnenschein**, –s sunshine
später: — als later than
steigen climb; **ich steige hinauf'**
  I climb up

vielleicht' perhaps
die **Wahl, –en** choice; **wählen**
  choose, elect
der **Wald, –es, ⸰er** woods, forest
wert + *gen.* worth(y)

das **Wetter, –s** weather
wild wild
wunderbar wonderful
zurück' back
For pronouns see §§ 39–42.

Grammar

39. The der-words (words approximately declined like **der**) are:
the definite article, demonstratives (pointing words), interrogatives
(question words), relatives (§§ 85–86), and a few other words:

der *the*
dieser *this* (*one*); *the latter*
jener *that* (*one*); *the former*
jeder *each* (*one*), *every*(*one*)

welcher *which* (*one*)
solcher *such*
mancher *many a*
alle (usually plur.) *all*

Their endings are those of **dieser;** the forms of **der** are similar:

Sing. masc.	dieser	dieses	diesem	diesen
	dēr	dĕs	dēm	dēn
fem.	diese	dieser	dieser	diese
	die	dēr	dēr	die
neut.	dieses	dieses	diesem	dieses
	das	dĕs	dēm	das
Plur.	diese	dieser	diesen	diese
	die	dēr	dēn	die

Notes. (1) Do not confuse **jener** *that* (related to English *yon*) with **jeder**
every (related to English *either*). **Jener** is not used in conversation
(§ 40).

    (2) **Solche** *such* is more commonly plural. For the singular
ein solcher, solch ein, so ein *such a* is used, and the declension is
determined by **ein** (**eine,** etc.). **So** and **solch** (without an ending)
can be used without **ein: solch schönes Wetter** *such fine weather;*
so gute Freunde *such good friends.*

    (3) **Mancher** means *many a* in the singular; the plural **manche**
means *some* (NOT *many!* *Many* is **viele**). The singular can take the
form **manch ein.**[1]

    (4) **Alle** serves as plural of **jeder** (as in English). Neuter singu-
lar **alles** means *all, everything.*

    (5) The neuter singular nominative and accusative **dieses** is
often contracted to **dies.**

[1] The plural **manche** does not always function as a **der**-word: **manche
alte Freunde** or **manche alten Freunde.** Usage is not settled.

40. The article **der, die, das** (a weakened demonstrative) is used, with stress, as a *DEMONSTRATIVE* and is then translated *he, she, that (one), those, the latter.* It serves as a more emphatic equivalent of **er, sie, es:**

> Hier kommt mein Freund, und der kann es uns sagen. *Here comes my friend and he can tell us.*
>
> Meine Teller und die meiner Schwester *my plates and those of my sister*

All genitives and the dative plural of the demonstrative **der** are lengthened by the addition of **–en:**

> *Gen. sing.* dessen, deren, dessen; *plur.* deren
> *Dat. plur.* denen

The doubling of **s** in **dessen** is necessary to retain the short vowel of **des.** (Complete declension § 134.)

Notes. (1) The genitive plural has the form **derer** before a relative:

> Er ist ein Freund derer, die ihm helfen. *He is a friend of those who help him.*

(2) Emphatic **der** or **der da, der dort** *that one (there)* are the conversational equivalents of literary **jener.**

(3) Neuter **das, dies** (also **es**) point forward to a noun regardless of gender and number, but the verb indicates singular or plural:

> Das (dies, es) ist mein Vater (meine Mutter). *That (this, it, he, she) is my father (mother).*
>
> Das (dies, es) sind meine Freunde. *Those (these, they) are my friends.*

41. *INTERROGATIVE* **wer** *who* (masculine and feminine, singular and plural, as in English) has forms parallel to the demonstrative **der**, with a lengthened genitive **wessen: wēr, wessen, wēm, wēn.** For the neuter **was** *what* the genitive **wessen** is rare, and the dative after prepositions, since it does not refer to persons, is replaced by compounds with **wo–** (§ 25): **wozu** *to (for) what;* **wovor** *in front of what;* **worin** *in what:*

> Womit schreiben Sie? *What are you writing with?*

42. The interrogative phrase **was für ein** *what kind of (a)* declines only **ein,** which disappears in the plural; **für** does not call for an accusative here:

> In was für einem Hause wohnen Sie? *In what kind of house do you live?*
>
> Was für Bücher hast du? *What kind of books do you have?*

The phrase, with or without **ein,** is also used for exclamations and is translated *what* (*a*):

Was für ein schöner Wald! *What a beautiful forest!*
Was für schönes Wetter! *What fine weather!*

Welch (**ein**) *what* (*a*) is used only in exclamations: **Welch ein Bild!** *What a picture!* **Welch schönes Wetter!** *What fine weather!*

43. Nouns of *CLASS 3* add **–er** in the nominative plural and umlaut where possible (**a, o, u**). This is primarily the class of neuters of one syllable, although many neuters are in Class 2. It includes a few common one-syllable masculines (**Geist, Gott, Mann, Wald** and a few others), but no feminines.

das Haus — die Häuser, der Häuser, den Häusern, die Häuser
der Mann — die Männer, der Männer, den Männern, die Männer

44. Nouns of *CLASS 4* add **–en** in the nominative plural; they never add umlaut: **die Frau — die Frauen; die Tür — die Türen.** Class 4 is also called "weak declension," Classes 1–3 being the "strong declensions." The ending **–en** is reduced to **–n** after **e, l, r** in unstressed syllables: **die Klasse — die Klassen; die Schwester — die Schwestern.** After the suffix **–in** the ending changes to **–nen: die Studen'tin — die Studen'tinnen.**
Most feminines [1] are in Class 4, also many masculines; but no neuters. Masculines take the ending **–(e)n** in all cases from the genitive singular on (§ 31); **der Mensch, des (dem, den; *plur.* die, der, den, die) Menschen.**
Herr takes **–n** in the singular, **–en** in the plural: dem **Herrn** — den **Herren** *to the gentlemen.*

45. *CLASS 5* contains a limited number of masculine and neuter nouns with a strong singular and a weak plural ("mixed declension"). Their genitive singular ends in **–(e)s,** their plural in **–(e)n: der Staat, des Staates, die Staaten** *state;* **das Ende, des Endes, die Enden** *end.*
Here belong some nouns from Greek and Latin: **das Drama, des Dramas, die Dramen; das Studium, des Studiums, die Studien; der Hymnus, des Hymnus, die Hymnen;** and a

---

[1] Including those with the abstract suffixes **–heit, –keit, –schaft, –ung, –ei'; –ie', –ik, –ion', –tät':** die **Freiheit** *freedom,* **Freundschaft** *friendship;* **Nation', Universität'**

Bonn:
Universität

Heidelberg und der Neckar

Friedliche Stadt an der Isar

Frankfurt am Main:
Studentenhaus der Goethe-Universität

Die Hausfrau kauft Obst
auf dem Markt

Familie beim Nachmittagskaffee

In den bayrischen Alpen

Einsamer
Hof in den
Alpen

group of nouns from Latin ending in –or, which retain the Latin shift of stress in the plural: **der Profes'sor, des Profes'sors, die Professo'ren.**

46. Summary of noun declensions. Most masculines have the plural ending –e (Class 2), although some are found in the other classes.

Most feminines have the plural ending –(e)n (Class 4), although two are in Class 1 (§ 32) and a number of one-syllable feminine nouns are in Class 2.

Neuters have the plural ending –e or –er (Classes 2 and 3) with the exception of some (§ 32) without a plural ending (Class 1). The ending –er (Class 3) is primarily neuter, but the division between masculines (Class 2) and neuters (Class 3) is not sharp.

A few nouns of foreign origin use the plural ending –s: **die Restaurants,** especially those ending in a full vowel: **die Radios.** This is the only group in which the dative plural does not end in –n (§ 32).

Infinitives used as neuter nouns belong to Class 1 because they end in –(e)n, but they have no plural: **des Lernens** *of the learning.*

Adjectives used as nouns are capitalized but retain adjective declension (§ 62).

Übungen

A. Supply the proper forms of the words in parentheses:

1. Unsere Familie wohnt in (*this*) Hause.   2. Nur mein Bruder wohnt mit seiner Frau in (*that*) Hause.   3. An (*which*) Flusse liegt (*this*) Stadt?   4. Wie heißt (*that*) Berg?   5. (*Which*) Berg meinst du, (*this one*) oder (*that one*)?   6. Ich meine (*that one*) mit der Burgruine.   7. (*That*) ist der Drachenfels.

8. Aus (*which*) Stadt kommen Sie?   9. (*What a*) Frage! Aus Köln natürlich.   10. (*That*) hört man doch gleich.   11. (*Each*) Stadt hat ihre Sprache.[1]

12. Nicht (*every*) Tag ist so schön wie heute.   13. Ja, (*such*) schönes Wetter haben wir nicht oft in (*this*) Lande.   14. (*What a*) Glück! Heute haben wir (*such a*) Tag.

B. Supply the plural of the words in parentheses:

1. Meine (Freund) sind in Deutschland.   2. Sie besuchen auch andere (Land).   3. In (dies Land) leben viele (Mensch).   4. Viele

---

[1] *way of speaking.*

(Stadt) haben schöne (Rathaus).   5. Auf den (Berg) an den (Fluß) liegen (Burg) und (Burgruine).   6. Meine (Bruder) machen mit ihren (Schwester) (Ausflug) in die (Berg).   7. Die (Vater) dieser (Knabe) sind (Professor).   8. Wer sind die (Herr) dort? 9. Sie füllen ihre (Glas).   10. Die (Mann) fahren mit ihren (Frau) in die Stadt.   11. Sie kaufen (Bild) und (Buch).

C. Answer in complete German sentences:

1. Warum will der Vater einen Ausflug machen? (Das Wetter . . .)
2. Was hat die Schwester gegen einen Ausflug zu sagen? 3. Wohin will der Vater fahren? 4. Was sagt der Bruder dazu?

5. Wohin fahren sie mit der Bahn? 6. Wo liegt das Siebengebirge? 7. Welcher Berg ist ihr Ziel? 8. Wie kommen sie an den Berg? 9. Welche Wahl haben die Mutter und die Schwester? 10. Was wählen sie? 11. Wer reitet, und wer geht zu Fuß auf den Berg?

12. Was sehen sie vom Berge aus? 13. Wie lange (*how long*) bleiben sie auf dem Berge? 14. Wie fahren sie nach Köln zurück?

D. Translate:

1. On such a day we go on an outing.   2. One must not stay at home.   3. We take the railroad to Godesberg, and then we go by (*mit dem*) boat across the river.   4. The men climb up the mountain on foot.   5. All (*alle*) have dinner on the mountain near the ruins of the castle.

Achte Aufgabe

Future Tense
Separable and
Inseparable Verbs

Der deutsche Lebensraum

Heute werden wir versuchen, das Schicksal Deutschlands aus seiner geographischen Lage zu erklären.

Der Atlantische Ozean umgibt England von allen Seiten. Der Atlantische Ozean, das Mittelländische Meer und die Pyrenäen schützen Spanien. Das Mittelländische Meer und die Alpen sind die natürlichen Grenzen Italiens. Frankreich ist nur nach Osten hin offen. Deutschland aber hat nur zwei natürliche Grenzen, nämlich die Nordsee und die Ostsee im Norden und die Alpen im Süden. Berge befinden sich nur im Süden und in der Mitte des Landes. Der Norden aber ist eine große Tiefebene. Diese erstreckt sich vom Atlantischen Ozean durch den Norden Frankreichs, Deutschlands und Rußlands und geht dann hinter dem Uralgebirge durch Sibirien bis zum Stillen Ozean weiter. Daher fließen die großen deutschen Flüsse von Süden nach Norden, besser: von Südosten nach Nordwesten. Nur die Donau in Süddeutschland fließt von Westen nach Osten.

Durch diese Ebene im Norden bewegten sich die Völker hin und her. Vor mehr als zweitausend (2000) Jahren wohnten die Kelten im Westen und Süden Deutschlands, die Germanen im Osten bis nach Rußland. Später drangen die Germanen nach Westen vor, und die Kelten zogen sich nach Gallien zurück. Ein anderer Teil der Germanen wanderte nach Süden bis nach Italien und Spanien. Die Slawen drangen bis zur Elbe vor. Im Mittelalter aber drängten die Deutschen die Slawen wieder nach dem Osten zurück. Sie kolonisierten Gebiete der Slawen östlich der Elbe.

Im Westen kämpften die Deutschen in den letzten Jahrhunderten oft mit Frankreich um Elsaß-Lothringen. Dieses Land war vom neunten (9.) bis zum siebzehnten (17.) Jahrhundert deutsch, gehörte aber vom siebzehnten bis zum neunzehnten (19.) Jahrhundert zu Frankreich. Im neunzehnten Jahrhundert fiel es an Deutschland zurück und im zwanzigsten (20.) Jahrhundert wieder an Frankreich.

Wo ist der historische Lebensraum der Deutschen?

Wortschatz

alt old
(sich) bewe′gen, bewegte (sich) move
daher therefore
die Ebene, –n plain
erklä′ren explain
sich erstre′cken stretch
das Gebiet′, –es, –e region
das Gebir′ge, –s, — mountain range
gehö′ren, gehörte (*with dat.*) belong; **— zu** be part of
die Geographie′ geography; **geogra′phisch** geographical
geschicht′lich historical
die Grenze, –n border, boundary
groß great, big, large, tall
hin: nach Osten — towards the east; **— und her** back and forth; **sich — und her bewegen** move back and forth
das Jahrhun′dert, –s, –e century
der Kampf, –es, ⁀e fight; **kämpfen, kämpfte** fight
kolonisie′ren, kolonisierte colonize
die Lage, –n location, situation

der Lebensraum, –es, ⁀e living space
nämlich namely
der Norden, –s north; **der Nordwe′sten** northwest
offen open
oft often
der Osten, –s east; **östlich** eastern
schützen protect
suchen seek, search
der Süden, –s south; **der Südo′sten, –s** southeast
der Teil, –es, –e part
umge′ben (umgibt) surround
versu′chen try, attempt
das Volk, –es, ⁀er people
vor-dringen, drang vor advance
wandern, wanderte wander, migrate
weiter-gehen go on, proceed
zurück′-drängen, drängte zurück push back
zurück′-fallen, fiel zurück fall back, revert
(sich) zurück′-ziehen, zog (sich) zurück withdraw, retire

Geographical and Historical Names

der Atlan′tische Ozean Atlantic Ocean
die Donau Danube
die Elbe Elbe (River)
Elsaß-Lothringen Alsace-Lorraine

(das) England, –s England
(das) Frankreich, –s France
(das) Gallien, –s Gaul
die Germa′nen (*pl.*) Teutons; **germa′nisch** Germanic
(das) Ita′lien, –s Italy

die **Kelten** (*pl.*) Celts
das **Mittelalter, –s** Middle Ages
das **Mittelländische Meer** Mediterranean (Sea)
die **Nordsee** North Sea
die **Ostsee** Baltic Sea
die **Pyrenä'en** (*pl.*) Pyrenees

(das) **Rußland, –s** Russia
(das) **Sibi'rien, –s** Siberia
die **Slawen** (*pl.*) Slavs
der **Stille Ozean** Pacific Ocean
die **Tief'e'bene, –n** lowland(s)
das **U'ralgebir'ge, –s** Ural Mountains

Grammar

47. The *FUTURE* tense is formed, as in English, with an auxiliary verb and an infinitive; but the auxiliary (in second place in a principal clause) is a form of **werden** instead of *will* (*shall*) and the infinitive stands last (§ 9):

Ich werde heute in die Stadt gehen.   *I shall go downtown today.*

Informally the present tense can have future function (§ 10):

Ich gehe heute in die Stadt.   *I'll go downtown today.*

The future uses the auxiliary **werden** in the present tense, which is irregular in two forms:

ich werde, du wirst, er wird; wir werden, ihr werdet, sie werden

For the conjugation pattern of the future tense, see §§ 138–142.

48. Many verbs have *PREFIXES* modifying their meanings, either inseparable-unstressed or separable-stressed.

Always inseparable and unstressed are **be–, ent–, er–; ge–, ver–, zer–: behal'ten** *keep,* **entste'hen** *originate,* **erwar'ten** *expect,* **gehö'ren** *belong,* **versu'chen** *try,* **zerfal'len** *fall apart.* The prefix **ent–** changes to **emp–** before a following **f** in a few verbs: **empfan'gen** *receive.* The inseparable prefixes should be memorized.

The meanings of most of the inseparable prefixes are obscured, but **zer–** always means *to pieces, apart;* **ent–** means basically *away from* (**entste'hen** *rise out of, originate;* **entschul'digen** *take the guilt away from, excuse*); and **ver–** is often but not always negative (**verfü'hren** *mislead;* **verkau'fen** *sell,* opposite of **kaufen** *buy;* **versa'gen** *deny,* negative of **sagen**).

49. There are many separable and stressed prefixes, which have more definite meanings: **aufgehen** *go up,* **zurück'fallen** *fall back.*
Separation takes place only in the present tense (including

imperatives) and in the simple past tense. The prefix, still bearing a stress, stands at the end of a principal clause:

> Sie drangen nach Westen vor'. *They advanced westward.*
> Kehre (kehrt, kehren Sie) bald zurück'! *Come back soon.*
> BUT: Sie wird morgen zurück'kehren. *She will return tomorrow.*

The meanings of separable prefixes remain similar to the meanings they have as independent words. In compound prefixes like **herein'-** *in,* **hinauf'-** *up* the second part bears the stress and decides the essential meaning.

In looking up a verb in a dictionary, bear in mind that the verb in second place may not be the whole verb. **Sie drangen nach Westen vor** must be looked up under **v (vordringen),** not under **d (dringen).**

50. Some prefixes are variable, either separable or inseparable: **durch–, über–, um–, unter–, wieder–:**

> Separable, stressed, definite meaning: **ü'bersetzen** *cross over,* **wie'derholen** *get back,* **ü'bergehen** *go over (to).*

> Inseparable, unstressed, obscured meaning: **überset'zen** *translate,* **wiederho'len** *repeat, review,* **überge'hen** *pass over, skip.*

> Compare English *look o'ver* and *overlook'.*

51. In general the addition or omission of **zu** before an infinitive corresponds to English; but **zu** is never used before the infinitive which accompanies a modal auxiliary (§ 101):

> Ich will Deutsch lernen. *I want to learn German.*

When **zu** is needed, it precedes the infinitive of inseparable verbs but is placed between the prefix and verb proper of separable verbs:

> zu wiederho'len *to repeat;* wie'derzuholen *to get back;* zurück'zugewinnen *to win back*

52. Preview of tenses. Verbs are, as in English, divided into two large groups by the way they form their tenses: the pattern which uses endings: *to love, he loved, he has loved* ("weak verbs"), and the pattern which changes the vowel: *to sing, he sang, he has sung* ("strong verbs"). Infinitive, simple past, and past participle are the "principal parts" of verbs.

The weak simple past (or imperfect, preterite) adds in place of the infinitive ending **–(e)n** the tense sign **–te** plus the personal endings **–, –st, –; –n, –t, –n: ich schützte** *I protected,* **du schütztest, er schützte; wir schützten, ihr schütztet, sie**

schützten. After **d** or **t** the tense sign –te becomes –ete: **ich antwortete** *I answered,* **ich redete** *I talked;* also **ich öffnete** *I opened.*

The strong past adds the personal endings –, –st, –; –en, –(e)t, –en directly to the basic form with its changed vowel: **ich sang** *I sang,* **du sangst, er sang; wir sangen, ihr sangt, sie sangen.**

Notice that the third person singular lacks, as in English, the characteristic third person present singular ending: **er schützt** *he protects* — **er schützte** *he protected;* **er singt** *he sings* — **er sang** *he sang.*

Übungen

A. State in the future tense:

1. Wir erklären das Schicksal Deutschlands aus seiner geographischen Lage. 2. Flüsse, Berge, Ozeane schützen heute kein Land mehr. 3. Dringen die Slawen nach Westen vor?

4. Herr Frank stellt seiner Frau Herrn Kunz vor. 5. Sie steigen zu Fuß auf den Berg. 6. Mein Bruder verheiratet sich mit einer Studentin. 7. Wir wiederholen die ersten Aufgaben. 8. Wir fahren mit dem Schiff nach Hause zurück. 9. Sie erklären ihm die Geschichte.

B. In A, sentences 1, 5, 9, make statements dependent upon **versuchen.**

> *Example:* Sie drangen nach Westen vor. Sie versuchten, nach Westen vorzudringen.

C. In A, sentences 6–9, make statements dependent upon **wünschen.**

> *Example:* Sie bleiben zu Hause. Sie wünschen, zu Hause zu bleiben.

D. Supply proper reflexive pronouns

(a) in the accusative: 1. Ich entschuldige — bei ihm. 2. Sie brauchen — nicht zu entschuldigen. 3. Wann verheiratest du —? 4. Ich frage —: darf ich das tun?

(b) in the dative: 5. Keiner will mir helfen; ich werde — selbst helfen. 6. Mein Bruder wird — dieses Buch kaufen. 7. Du darfst — ein Geschenk wählen. 8. Ihr erlaubt — zu viel. 9. Nehmt — ein Stück Kuchen! 10. Wann werdet ihr — ein Haus kaufen? 11. Ich kaufe — eine Uhr.

E. Answer in complete German sentences:
1. Welche Länder Europas haben natürliche Grenzen? 2. Welche natürlichen Grenzen hat Deutschland? 3. Wo liegen die Berge in Deutschland? 4. Wo ist die Tiefebene? 5. Durch welche Länder erstreckt sich die Tiefebene?
6. Wo wohnten die Germanen vor zweitausend Jahren? 7. Wohin wanderten sie? 8. Bis zu welchem Flusse drangen die Slawen vor? 9. Wann kolonisierten die Deutschen wieder Gebiete östlich der Elbe?
10. Mit wem kämpften die Deutschen im Westen? 11. Um welches Land kämpften sie? 12. Zu welchem Lande gehört Elsaß-Lothringen heute?

F. Translate:
1. Germany is open towards east and west. 2. In our time, natural boundaries do not protect any country. 3. Excuse me, please, my wife is waiting for me. 4. You need not help me, I can help myself. 5. They will not marry yet.

Neunte Aufgabe

Das Hildebrandslied

Das älteste deutsche Heldenlied ist das Hildebrandslied. Zwei Mönche schrieben um das Jahr achthundert (800) im Kloster Fulda [1] dieses Lied von Ehre und Schicksal auf.

Der Held dieses Liedes ist Hildebrand, der Waffenmeister des Königs Theoderich.[2] Mit seinem König hat [3] Hildebrand vor dreißig (30) Jahren seine Heimat und seine Familie verlassen und in der Fremde für ihn gekämpft.[3] Nun kehrt er mit dem Heere seines Herrn zurück und trifft in der Nähe der Heimat auf das Heer des Odoaker.[4]

Hildebrand reitet voran und trifft einen jungen Krieger des Odoaker. Beide bereiten sich zum Kampfe. Hildebrand spricht zu seinem Gegner: „Wer ist dein Vater? Zu welcher Familie gehörst du?" — „Hildebrand war mein Vater, so sagen die Alten im Volke. Ich heiße Hadubrand. Vor dreißig Jahren floh mein Vater mit Theoderich und seinen Helden. Er verließ Frau und Kind; so treu war er seinem König. Tapfer war er wie keiner, und sicher fand er den Tod."

Da sieht Hildebrand, daß der Gegner sein eigener Sohn ist. „Großer Gott!" ruft er, „laß mich nicht mit meinem Sohne kämpfen!" Dann nimmt er goldene Ringe vom Arme und spricht zu Hadubrand: „Nimm diese Ringe als Geschenk von mir!" Doch Hadubrand hält den Vater für einen Betrüger und schilt ihn einen alten Hunnen: „Du Hunne, du fängst mich nicht mit deinen Ringen. Dein Speer trifft mich nicht ohne Kampf."

[1] City in west central Germany. The monastery was a leading cultural center of ancient Germany. The manuscript is written in the Old High German language. [2] Theodoric, king of the Ostrogoths 474–526, ruler in Italy 489–526. [3] **hat ... verlassen** *has left* or *left;* **hat ... gekämpft** *has fought* or *fought.* [4] Odoacer, first Germanic ruler of West Roman Empire, defeated in 489 by Theodoric. The Hildebrand legend handles the historical facts freely.

Da bricht Hildebrand in die Klage aus: „Wehe [1] nun, waltender Gott, Wehgeschick geschieht! [1] Dreißig Jahre habe [2] ich außerhalb des Landes gekämpft,[2] und nun soll mich mein Sohn erschlagen oder ich sein Mörder werden." Doch die Ehre befiehlt ihm, mit seinem Sohne zu kämpfen. Mit diesem Kampfe bricht die Handschrift ab.

Erschlägt der Sohn den Vater oder der Vater den Sohn? Man nimmt das letztere an. Tragisch wäre [3] der Tod des Vaters. Tragischer ist der Tod des Sohnes und Erben.

Wortschatz

ab-brechen (bricht ab) break off

alt: die **Alten** the old ones; **ältest** oldest

an-nehmen (nimmt an) accept; assume

der **Arm, –es, –e** arm

aus-brechen (bricht aus) break out, burst

außerhalb + *gen.* outside of

befeh'len (befiehlt) order, command

beide both, the two (of them)

sich berei'ten (zu) prepare oneself, get ready (for)

der **Betrü'ger, –s, —** deceiver, impostor

daß that (*conjunction*)

die **Ehre, –n** honor

eigen own

der **Erbe, –n, –n** heir

erschla'gen (erschlägt') slay

fand *past of* **finden**

fangen (fängt) catch

floh *past of* **fliehen** flee; **fliehen vor** flee from

fremd strange, foreign; die **Fremde** foreign lands

der **Gegner, –s, —** adversary, opponent

golden golden

der **Gott, –es, –er** god

halten (hält) hold; — **für** consider (as)

die **Handschrift, –en** (= die **Hand, –e** hand + die **Schrift, –en** writing) manuscript

das **Heer, –es, –e** army

die **Heimat** home, homeland, native country

das **Heldenlied, –es, –er** (= der **Held, –en, –en** hero + das **Lied**) heroic lay, song of heroes

das **Hildebrandslied, –s** lay of Hildebrand

der **Hunne, –n, –n** Hun

jung young

das **Kind, –es, –er** child

die **Klage, –n** lament

das **Kloster, –s, –** monastery

der **König, –s, –e** king

der **Krieger, –s, —** warrior

letzt– last; das **letztere** the latter

das **Lied, –es, –er** song, lay

der **Mönch, –es, –e** monk

der **Mörder, –s, —** murderer

die **Nähe** vicinity

nehmen (nimmt) take

neunt– ninth

der **Ring, –es, –e** ring

rufen call, shout

[1] In Old High German: **welaga nu, waltant got, wewurt skihit** *alas now, ruling God, a woeful fate comes to pass!* [2] **habe...gekämpft** *have fought* or *fought.* [3] Subj., *would be.*

schelten (schilt) scold; dub
schrieben ... auf *past of* auf-
  schreiben write down
sicher safe; certain(ly)
der Speer, –es, –e spear
tapfer brave
der Tod, –es, –e death
tragisch tragic; tragischer more
  tragic
treffen (trifft) (auf) meet, encounter; hit
treu loyal

verließ *past of* verlas'sen (verläßt) leave
vor 30 Jahren 30 years ago *or*
  before
voran' forward
der Waffenmeister, –s, — (= die
  Waffe, –n weapon + der Meister, –s, — master) armorer
welcher, welche, welches which,
  what
werden (wird) become
zurück'-kehren return

Grammar

53. In the present tense the ending –st of the second person singular is shortened to –t after s, ß, z:

> reisen *travel:* du reist; müssen *have to:* du mußt *you must;* sitzen
> *sit:* du sitzt

54. Strong verbs (§ 52) containing the vowel a change it to ä in
the second and third persons singular present:

> fallen: du fällst, er fällt; fahren: du fährst, er fährt; laufen *run:*
>   du läufst, er läuft

Compare English *do: thou dost, he does,* where the pronunciation changes in
the same two persons.

55. Strong verbs (except **gehen** and **stehen**) containing the vowel
e change it to ie or i in the same two persons and additionally in
the singular imperative. Long e changes to long i (spelled ie),
short e changes to short i:

> sehen: du siehst, er sieht; sieh!
> helfen: du hilfst, er hilft; hilf!

The singular imperative of verbs with vowel change uses only
the short form of the imperative (§ 12), without –e. The other
imperatives are not affected by the vowel change: **seht! sehen
Sie! helft! helfen Sie!**
In some verbs long e is irregularly changed to short i (with
consequences for the spelling):

> nehmen: du nimmst, er nimmt; nimm!
> treten *step:* du trittst, er tritt; tritt!
> geben: du gibst, er gibt; gib!
> werden: du wirst, er wird (§ 47); *no vowel change:* werde!

56. Strong verbs with vowel changes (§§ 54–55) do not use the longer endings –est, –et after **d** and **t** (§ 10), but a short form:

> halten: du hältst, er hält
>
> treten: du trittst, er tritt

Übungen

A. Supply the proper form of the present tense:

1. Der Vater (treffen) seinen Sohn. 2. Er (geben) ihm seine Ringe. 3. Er (annehmen) den Kampf nicht. 4. Der Sohn (halten) ihn für einen Betrüger. 5. Dem Vater (helfen) Gott nicht. 6. Er (erschlagen) den Sohn.

7. Warum (sprechen) du nicht mit ihm? 8. Wann (treffen) du deinen Freund? 9. (Essen) ihr zusammen in der Stadt? 10. Nein, er (essen) zu Hause. 11. (Sehen) du ihn heute noch, oder (wünschen) du ihn nicht zu sehen? 12. Nein, er (fahren) heute nach Bonn. 13. Der Autobus (halten) vor unserem Hause.

B. Supply the imperative singular (familiar address):

1. (Vergessen) nicht, heute nachmittag zu uns zu kommen! 2. (Lassen) uns bitte nicht warten! 3. (Essen) mit uns im Restaurant! 4. (Nehmen) den Autobus! 5. (Fahren) mit uns in die Stadt! 6. (Geben) deiner Schwester bitte dies Buch von mir!

C. State in the corresponding person of the singular:

> *Example:* Die Väter schelten ihre Söhne. — Der Vater schilt seinen Sohn.

1. Sie vergessen ihre Bücher. 2. Helft euren Freunden! 3. Trefft ihr eure Freunde in der Stadt? 4. Sie fahren mit ihren Familien nach Europa. 5. Nehmt ein Stück Kuchen, bitte! 6. Ihr eßt nicht genug. 7. Sie lassen uns zu Fuß gehen. 8. Sie sprechen von ihrem Ausflug. 9. Scheltet ihn bitte nicht!

D. State in the present tense:

1. Mein Vater wird heute aus Hamburg zurückkehren. 2. Wirst du nicht vergessen, deinem Freunde zu gratulieren? 3. Wirst du ihn heute in der Stadt treffen? 4. Er wird mit mir zu Mittag essen.

E. Answer in complete German sentences:

1. Wann und wo schrieben die Mönche das Hildebrandslied auf? 2. Mit wem kehrt Hildebrand aus der Fremde zurück? 3. Wen trifft er in der Nähe der Heimat?

4. Was fragt Hildebrand den jungen Krieger? 5. Wessen
Sohn ist dieser Krieger? 6. Was weiß er von seinem Vater?
7. Weiß er, daß sein Vater vor ihm steht?
     8. Was gibt Hildebrand seinem Sohn? 9. Wofür hält Hadu-
brand seinen Vater? 10. Warum will Hildebrand nicht kämpfen?
11. Warum nimmt er den Kampf an? 12. Wer findet im Kampfe
den Tod?

F. Translate:

1. Take the book as a gift from me. 2. That man considers
everyone an impostor. 3. Hildebrand accepts the fight and slays
his son. 4. His honor commands that. (**Das . . .**)

Zehnte Aufgabe

Adjective and Adverb

Ein Brief aus Deutschland

Lieber Peter! Freiburg, den 20. Januar

Seit einem halben Jahre bin [1] ich nun in Deutschland. Während der ersten Wochen machte ich Reisen durch das ganze Land von einem Ende bis zum anderen. Ich besuchte die großen Städte zwischen dem Rhein und der Elbe und zwischen der Nordsee und den Alpen. Endlich fuhr ich nach Freiburg.[2] Ich studiere deutsche Geschichte und Literatur an der Universität. Wir haben einige gute Professoren für deutsche Literatur der klassischen Zeit, also vor allem Lessing, Goethe und Schiller, und für neuere Geschichte. In diesem Semester besuche ich eine Vorlesung über Goethes „Faust." Ich sitze nicht die ganze Zeit hinter Büchern, und doch lerne ich sehr viel; denn den ganzen Tag höre und spreche ich Deutsch. Die deutschen Studenten haben keine Prüfungen am Ende jedes Semesters. Statt vieler kleiner Prüfungen haben sie nur eine große Prüfung am Ende ihres Studiums. Es ist eine allgemeine Prüfung über das ganze Studium. Dieses freie Leben ist für sie und für mich sehr angenehm.

Ich habe ein kleines, aber gemütliches Zimmer in der Stadt bei einer sehr freundlichen Familie. Dort esse ich auch gemütlich Frühstück. Mittags und abends esse ich in einem guten kleinen Restaurant. Am Sonntag mache ich mit meinen Freunden Ausflüge in die schöne Umgebung. Jetzt im Winter fahren wir oft in den Schwarzwald zum Schilaufen.

Wie geht es Dir [3] und Deinen lieben Eltern? Schreib mir bald! Meine Adresse ist:

[1] In translating sentences containing **seit** (or **schon**) it is often necessary to change a simple verb into a compound verb: **bin ich** *I have been;* then translate **seit** by *for.* [2] City in southwest Germany, between the Rhine and the Black Forest. [3] The forms of address **du** and **ihr** are capitalized only in letters.

Herrn stud. phil.[1] Paul Long
(17b)[2] Freiburg im Br.[3]
Bahnhofstraße 4.

Recht herzliche Grüße an Dich, Deine Eltern und alle guten Freunde

Dein

Paul

Wortschatz

abends in the evening
die **Adres'se, –n** address
all: vor allem above all
allgemein general, universal
die **Bahnhofstraße** (= der **Bahnhof, –s, ⁻e** railroad station + die **Straße**) Station Street
bekom'men receive, get
der **Brief, –es, –e** letter
denn for
die **Eltern** (*pl.*) parents
freundlich friendly
das **Frühstück, –s, –e** breakfast
fuhr *past of* **fahren**
gemüt'lich comfortable, cozy
die **Geschich'te, –n** story; history
der **Gruß, –es, ⁻e** greeting
klassisch classical
klein little, small
die **Literatur', –en** literature
mittags at noon

neu new; **neuer** newer, recent, modern
die **Reise, –n** travel, trip; **eine — machen** take a trip
das **Schilaufen, –s** (= der **Schi ski** + das **Laufen, –s** running) skiing
schreiben write
der **Schwarzwald, –es** Black Forest
das **Seme'ster, –s, —** semester
der **Sonntag, –s, –e** Sunday
das **Studium, –s, Studien** study, course of studies
die **Umge'bung, –en** surroundings, environment
die **Vorlesung, –en** lecture, (*university*) class
der **Winter, –s, —** winter
zehnt– tenth
das **Zimmer, –s, —** room

Grammar

57. *ADJECTIVES* belonging with the verb add no ending:

Die Aufgabe ist schwer.
Der Tag ist schön.
Die Tage sind schön.

---

[1] (Latin) student of philosophy (*in a wide sense*).   [2] Country-wide postal zone number.   [3] Breisgau, old name of province, to distinguish from other cities named Freiburg.

Any adjective belonging with a noun takes either weak or strong endings, depending on the construction in which it appears.

The weak ending is usually –en, sometimes –e: –en in all cases of the plural and in many cases of the singular; –e in the singular nominative of all genders and in the singular accusative of feminines and neuters. The weak endings are comparable to those of weak nouns (Class 4, § 44).

Weak endings are used after der-words (§ 39) and after most forms of ein-words (ein, kein, and possessives, § 34) : der (dieser) schöne Tag, eines großen Stückes, die (jene) alten Häuser, keine (seine) guten Bücher, alle guten Männer.

58. The strong endings are the same as those of the der-words (§ 39), but the –es of the genitive singular masculine and neuter is nowadays usually replaced by the weak ending –en (complete declensions § 132).

Strong endings are used when no der- or ein-word precedes: guter Freund, gute Freunde, alte Häuser.

A strong ending always appears, either in the preceding der- or ein-word or in the adjective. Since three cases of the ein-words (singular nominative masculine and nominative and accusative neuter) have no ending (§ 35), the adjective takes the strong ending –er or –es after them to show the gender: ein guter Freund, ein altes Buch, mein schönes Haus.

Otherwise strong endings are mostly used for unpreceded [1] plurals (gute Freunde, guter Freunde *of good friends*, alte Bücher) and in the singular for the form of address (lieber Vater! gutes Kind!) as well as for such expressions as: heißer Kaffee, heißen Kaffee *hot coffee*, etc.

Adjectives which end in –e in their basic form (müde *tired*) do not add another e, and –en after l and r in unstressed syllables is sometimes shortened to –n: dunkeln (*or* dunkln).

59. Numerals (except ein *one*), which have no endings themselves (§ 71), call for strong endings after them: zwei alte Bücher.

Indefinite numerals, being unpreceded adjectives, have strong endings (the endings of der-words) and so do the adjectives following them (§ 60). The most important are: einige *some, a few,* mehrere *several,* viele *many,* wenige *few:* einige schöne Tage; viele gute Bücher.

[1] "Unpreceded" = "not preceded by a der- or ein-word."

Note. The indefinite numerals **alle** *all* and **manche** *some* function more commonly as **der**-words (§ 39) calling for the weak adjective ending after them. **Viele** has a singular **vieles** *many things.* **Viel** *much* is an unchangeable adverb: **viel Geld** *much money.* The adverb **wenig** means *little:* **wenig Geld** *little money;* **ein wenig** means *a little.*

60. Strings of coordinated adjectives all have the same ending: der liebe, gute, alte Vater; ein lieber, guter, alter Vater; liebe, gute, alte Freunde; einige andere freundliche Menschen *some other friendly people.*

Thus in **ein allgemein bekanntes Buch** the word **allgemein** is not an adjective; it does not have the adjective ending which **bekanntes** has. It is an *ADVERB* meaning *generally: a generally known book.*

The German adverb regularly has the same form as the corresponding adjective, but it never adds a case ending: **gemütlich** means either *comfortable* or *comfortably.* There is no adverb ending like English *–ly.*

61. Participles are often used as adjectives and then take adjective endings in addition to the participle ending: ein lachender Student *a laughing student;* der erschlagene Gegner *the slain adversary.*

62. Any adjective can be used as a noun, capitalized but retaining adjective endings; **der** is a man, **die** (sing.) is a woman, **das** is neither: **der Gute** *the good one (man),* **die Gute** *the good one (woman),* **das Gute** *the good thing(s), that which is good;* **die Guten** *the good (ones), the good people:*

Der Gute liebt das Wahre und das Schöne. *The good man loves what is true and beautiful.*

When used with the indefinite article these nouns differ from those of Class 4: **ein Guter** *a good man,* **ein Gutes** *a good thing;* **ein Deutscher; ein Verwandter** *a related one, relative.* They do not add the feminine suffix **–in: die Verwandte** *female relative.*

63. Summary of adjective endings. The rules for adjective endings can be condensed into the following patterns, in which the adjectives stand for any adjective, the articles for any **der-**

or **ein**-word with the same ending, and the nouns for any noun of the same gender and number:

(*a*) Preceded by a **der**- or **ein**-word:

der gute Mann	die gute Frau	das gute Kind
ein guter Mann	eine gute Frau	ein gutes Kind

In all other instances, including all preceded plurals, the adjective ending is **–en**.

(*b*) Unpreceded: the strong endings (endings of **der**-words) are used.

Mastery of adjective endings is important (and a major difficulty) for speaking and especially for writing. It is less important for understanding and reading. Three points deserve attention in reading:

(1) **Die (eine, unsere) gute** ... is feminine singular; **die guten** ... is plural: die gute Klasse — die guten Klassen.

(2) An adjective ending in **–en** preceded by **dem** (or any other **der**- or **ein**-word ending in **–m**) is in the dative singular; the dative plural ends everywhere in **–n** (§ 32): dem langen Winter — den langen Wintern.

(3) If a sentence begins with a **der**- or **ein**-word ending in **–m** or **–n**, the first element is not the subject; the subject follows after the verb: Seinen Bruder liebt mein Freund nicht so sehr wie seinen Vater.

64. In **derselbe** *the same* and **derjenige** (followed by a relative pronoun) *the one (who)*, *he (who)* both parts are declined regularly as article and weak adjective. In fact **derselbe** can be separated: im selben Haus = in demselben Haus; zur selben Stunde = zu derselben Stunde *at the same hour*.

Übungen

A. Supply the endings:

1. Unser jung– Freund ist schon ein ganz– Jahr in Deutschland. 2. Seit ein– halb– Jahre studiert er in Bonn. 3. Bonn ist eine schön–, alt– Stadt am Rhein. 4. In dies– Stadt ist eine gut– Universität. 5. Diese Universität hat einige sehr gut– Professoren. 6. Unser gut– Freund studiert deutsch– Literatur und neuer– deutsch– Geschichte. 7. Er hat einige deutsch– Freunde. 8. Von ihnen wird er in kurz– (*short*) Zeit ein gut– Deutsch lernen. 9. Denn die deutsch– Sprache ist keine schwer– Sprache. 10. Das schön– Siebengebirge liegt in der Nähe von Bonn. 11. Jung– und alt– Menschen besuchen bei gut– Wetter diese nicht sehr hoh– Berge.

12. Ein wunderbar– Tag ist heute. 13. Aber das schön–
Wetter ist nicht für uns arm– Studenten. 14. Wir haben keine
frei– Minute. 15. Denn jetzt beginnen unsere schwer– Prüfungen.
16. Das sind keine gemütlich– Tage für uns. 17. Vielleicht
werden wir nach dies– schlimm– Tagen etwas Zeit haben. 18. Ja,
das Leben ist ein schwer– Kampf.

B. State everything in the plural:

1. Was tut jener junge Herr? 2. Er ist kein so junger Mann
mehr. 3. Er ist ein verheirateter Lehrer. 4. Hast du ein gemütliches Zimmer? 5. Ja, ich habe ein kleines, freundliches
Zimmer. 6. Er wohnt in einem großen, neuen Hause.

C. State everything in the singular:

1. An schönen Tagen gehen sie in die großen Wälder. (*Use* er.)
2. Meine jungen Freunde besuchen sehr gute Vorlesungen. (*Use*
eine.) 3. Die deutschen Studenten haben allgemeine Prüfungen.
4. Wir danken euch für eure freundlichen Worte.

D. Answer in complete German sentences:

1. Von wo schreibt Paul seinen Brief an Peter? 2. Was für Reisen
machte er in Deutschland? 3. Was tut er in Freiburg? 4. Welche
Vorlesungen sind sehr gut an der Universität? 5. Studiert Paul
den ganzen Tag? 6. Wann haben die deutschen Studenten ihre
Prüfungen? 7. Was für Prüfungen sind dies? 8. Was für ein
Zimmer hat Paul? 9. Wo ißt Paul mittags und abends? 10. Wohin geht er am Sonntag? 11. Wohin fährt er im Winter oft?

E. Translate:

1. How are your parents (*polite form*)? 2. Madam, may I introduce my good friend, Mr. Peter Brown? 3. He has been living
in this city for three years. 4. He sends cordial regards to you.
5. From whom? — From our good young friend in Freiburg.

F. Read: „Deutsche Grüße" (p. 161).

REVIEW EXERCISES
lessons 6–10

A. *Replace by personal pronouns* (a) *the indirect object;* (b) *the direct object;* (c) *both objects:*

1. Hildebrand sagt dem Sohne seinen Namen.   2. Wir erklären den Freunden die Geschichte.   3. Sie wird ihrer Mutter das Geschenk geben.   4. Er stellt dem Vater seine neuen Freunde vor.

B. *Supply the words in parentheses:*

1. Hildebrand kehrt mit (*his*) Herrn zurück.   2. Er kommt in (*his*) Heimat und trifft (*his*) Sohn.   3. Du bist nicht (*my*) Vater, sagt (*the latter*).   4. (*Our*) Familie ist nicht groß.   5. Die Freunde (*of our*) Freunde sind auch (*ours*).   6. Ist (*this*) (*my*) Buch oder (*yours, — fam. sing.*)?   7. (*What a*) schöner Tag ist heute!

C. *Read in the plural:*

1. Diese große Stadt liegt an einem Flusse.   2. Unser guter Freund ist glücklich mit seiner jungen Frau.   3. An einem schönen Tage machen wir einen Ausflug in den großen Wald.   4. Dieses große Haus ist ganz neu.   5. Er kauft sich das Buch seines Professors.   6. Dies (*leave unchanged*) ist ein Geschenk meiner Schwester.   7. Dieser alte Herr hat keinen Sohn und keine Tochter, er hat keine Familie.

D. *Read in the future tense:*

1. Meine Mutter kehrt heute von ihrer Reise zurück.   2. Sein Bruder stellt uns seine Freunde vor.   3. Ein Mönch schrieb das alte Lied auf.   4. Wir steigen auf den hohen Berg hinauf.

E. *Supply the reflexive pronouns:*

1. Darf ich — vorstellen?   2. Meine Eltern kaufen — ein neues Haus.   3. Suchen Sie — ein anderes Zimmer!   4. Nimm — noch ein Stück Kuchen.   5. Sie erwarten (*expect*) viel für — von dieser Reise.

F. Word Formation. *Analyze and give meanings:*

> *Example:* hinaufsteigen = hinauf' *up* (*away from previous place*)
> + steigen *climb* : *climb up*

1. hinauf'fahren   2. hinauf'gehen   3. hinauf'reiten   4. hinauf'-
sehen   5. zurück'geben   6. zurück'kaufen   7. zurück'kommen
8. zurück'nehmen   9. zusam'menkommen   10. zusam'menhalten

Example: die Sprache *from* sprechen *speak : speech, language*

1. die Bitte   2. die Antwort   3. der Befehl   4. der Beginn   5. der
Besuch   6. der Dank   7. der Kauf   8. die Wahl   9. der Kampf

Example: die Erzählung *from* erzählen *tell : telling = tale, story*

1. die Bewegung   2. die Endung   3. die Entschuldigung   4. die
Erklärung   5. die Erscheinung   6. die Hoffnung   7. die Meinung
8. die Wiederholung

Elfte Aufgabe

Eine Fabel von Lessing

Lessing war der erste der drei großen Dichter der klassischen Zeit. Eines seiner bekanntesten Werke ist „Nathan der Weise." In diesem dramatischen Gedicht kämpft Lessing gegen alle religiöse Intoleranz. Weniger bekannt sind seine Fabeln; denn für uns sind Fabeln nicht mehr so sehr Werke der hohen Literatur wie für die Leser zu Lessings Zeit. Im folgenden werden wir eine Fabel von Lessing in anderen Worten wiedergeben.

Das Pferd, so erzählt Lessing, kam vor Zeus,[1] den höchsten Gott der Griechen. „Vater der Tiere und Menschen," sprach das Pferd, „ich bin eines der schönsten Tiere; so sagen die Menschen. Aber ich möchte noch schöner und besser werden." — „Was kann ich für dich tun? Rede!" sprach der Gott. — „Gib mir längere Beine. Dann werde ich schneller sein als die meisten Tiere. Mit einem längeren Hals werde ich schöner sein als ein Schwan. Eine breitere Brust wird mir größere Kraft geben. Auch einen natürlichen Sattel kannst du mir geben; denn ich soll den Menschen tragen."

Zeus sprach das Wort der Schöpfung, und vor dem Pferde stand ein Tier mit längeren Beinen, längerem Hals, breiterer Brust und einem natürlichen Sattel: vor ihm stand das häßliche Kamel. — „Hier sind längere Beine und der lange Hals des Schwans; hier sind die breitere Brust und der natürliche Sattel. Möchtest du noch immer schöner und besser werden?" sprach Zeus. „Guter Vater," sagte das Pferd, „ich bleibe lieber, wie ich bin."

Was bedeutet Lessings Fabel? Vielleicht das Folgende: Das Nützlichere ist nicht immer auch das Schönere; denn die Schönheit liegt in der Harmonie der Teile.

[1] Pronounce "tsois."

Wortschatz

bedeu'ten signify, mean

das Bein, –es, –e leg

bekannt' (well-)known

breit broad, wide

die Brust, ⁓e breast, chest

der Dichter, –s, — poet, author, writer

drama'tisch dramatic

elft– eleventh

die Fabel, –n fable

folgen follow; im folgenden in the following

das Gedicht', –es, –e poem

der Grieche, –n, –n Greek

der Hals, –es, ⁓e neck

die Harmonie', –n harmony

häßlich ugly

die In'toleranz' intolerance

kam *past of* kommen

das Kamēl', –s, –e camel

die Kraft, ⁓e strength, power

lang long

die meisten most

der Mensch, –en, –en man, human being

möchte: ich (er) — I (he) would like to

noch: — immer still

nützlich useful

das Pferd, –es, –e horse

religiös' religious

der Sattel, –s, ⁓ saddle

schnell fast, quick

die Schönheit, –en beauty

die Schöpfung, –en creation

der Schwan, –es, ⁓e swan

sprach *past of* sprechen speak

stand *past of* stehen stand

der Teil, –es, –e part

das Tier, –es, –e animal, beast

tragen carry; bear

weise wise

wenig little

das Werk, –s, –e work; creation

wieder-geben give back; reproduce, render

das Wort, –es, –e word (*in context*); Wörter words (*isolated*)

Grammar

65. To form the *COMPARATIVE* and *SUPERLATIVE* of adjectives and adverbs English either adds *–er, –est,* or uses *more, most: small, smaller, smallest,* or *beautiful(ly), more beautiful(ly), most beautiful(ly).* German uses only the first way, with the endings **–er, –st,** regardless of the length of the word: **schön, schöner, schönst; langsam, langsamer, langsamst; dunkel, dunk(e)ler, dunkelst.** After **d, t, s, ß, z,** and usually after **sch** the superlative has the ending **–est: alt, ältest; kurz, kürzest.**

Adjectives ending in **–e** take of course no additional **–e–:** *müde* tired, **müder, müdest.**

Comparatives and superlatives often add umlaut, especially in common one-syllable words: **jung, jünger, jüngst; lang, länger, längst.**

(In English the effect of a former umlaut survives in *old, elder, eldest.*)

Comparatives and superlatives add the regular adjective endings where required: **der längere** (**längste**) **Hals; ein längerer Hals; das Schönere** *the more beautiful thing*(*s*) (§ 62). The adjective superlative is, as in English, regularly preceded by an article or another **der-** or **ein-**word: **der** (**die, das**) **schönste; sein interessantestes Buch.**

Adverbs in the comparative and superlative have no further ending (§ 60). The unpreceded superlative is only used as an adverb: **längst** *for the longest time;* **ein höchst interessantes Buch** *a most* (*highly*) *interesting book.*

66. The superlative can take the form **am . . . –en,** usually as an adverb, sometimes as an adjective belonging with the verb:

> Sie singt am schönsten. *She sings most beautifully.*
> Das Wetter ist im Sommer am schönsten. *The weather is best* (*at its best*) *in summer.*

The superlative can be reinforced by **aller–** *of all:* **das allerschönste Wetter** *the finest weather of all, the very finest weather.*

67. Comparisons are made as follows:

> (**nicht**) **so schön wie** (*not*) *as beautiful*(*ly*) *as*
> **schöner als** *more beautiful*(*ly*) *than*
> **immer schöner** *ever more beautiful*(*ly*), *more and more beautiful*(*ly*)

Watch for **als** after a comparative. It distinguishes clearly a comparative from a basic adjective form in which **–er** is not a comparative ending. In **ein schöner Tag** (§ 58) the adjective is not in the comparative. **Er läuft langsamer als ich** *He runs more slowly than I* contains a comparative. (*A more beautiful day* is **ein schönerer Tag.**)

68. Irregular comparisons:

gut *good; well*	**besser** *better*	**best** *best*
viel *much*	**mehr** *more*	**meist** *most*

Slight irregularities:

groß *great, big*	**größer**	**größt** (compare § 53)
nah(**e**) *near, close*	**näher**	**nächst** *nearest, next*
hoch *high*	**höher**	**höchst**

In **hoch, ch** becomes **h** before all vowels: **ein hohes Haus.**

Free translations are needed for the adverbs **gern(e)** *gladly,*
lieber *rather, preferably,* **am liebsten:**

Wir trinken gern Tee (*or* Tee gern). *We like to drink tea.*

Wir trinken lieber Kaffee (*or* Kaffee lieber). *We prefer (like better)*
to drink coffee.

Wir trinken am liebsten Wasser (*or* Wasser am liebsten). *We like*
best to drink water.

69. The absolute comparative (not followed by **als**) makes a
vague comparison: higher education (higher than what? higher
than low). It must often be translated by *rather:* **ein älterer Herr**
a rather old (elderly) gentleman; **eine größere Stadt** *a rather big*
(medium-sized) city (larger than small).

70. The negative **nicht** precedes an item specifically negated (as
often in English):

Nicht sie, sondern wir lernen Deutsch. *Not they but we are learning*
German.

Er wird Deutsch, nicht Spanisch lernen. *He will study German, not*
Spanish.

Otherwise **nicht** and **nie** (*never*) stand near the end of the
sentence (contrary to English):

Er wird die Sprache nicht (nie) gut lernen. *He will not (never) learn*
the language well.

Notice: **nicht ein** is usually replaced by **kein:**

Du bist kein Professor. *You are not a professor.*

Übungen

A. *Supply the comparative, using an adjective ending where needed:*
1. Herr Frank ist (glücklich) als Herr Kunz.   2. Seine Frau
erlaubt ihm ein (angenehm) Leben.   3. Peter studiert (neu)
deutsche Geschichte.   4. Er ist etwas (alt) als Paul.   5. Er wird
(lang) Zeit in Freiburg bleiben.   6. Sein (jung) Bruder studiert
an der Universität Chikago.   7. Seinem (alt) Freunde geht es
wieder (gut).   8. Er lebt jetzt in einem der (hoch) Teile des
Landes.   9. In den (groß) Städten kann er nicht mehr leben.
10. Er liebt die (frisch) Luft der (hoch) Berge.   11. Wir möchten
auch (gern) in einem (schön) Lande wohnen.

B. Compare, using (a) **nicht so** ... **wie;** (b) *the comparative:*

Example: Berlin, London — groß: Berlin ist nicht so groß wie London. London ist größer als Berlin.

1. die Mutter, der Vater — alt   2. meine Schwester, deine — jung
3. das Kamel, das Pferd — schön   4. dieser Berg, jener — hoch
5. der erste Weltkrieg, der zweite — schlimm

C. Change the adjectives and adverbs to superlatives:

1. In dieser Stadt wohnen viele Menschen. 2. Die hohen Häuser stehen in der Nähe des Rathauses. 3. Wir haben schlechtes Wetter. 4. Das Schöne ist nicht immer das Nützliche. 5. Ich möchte gern eine Reise machen. 6. Peter sendet (*sends*) euch herzliche Grüße. 7. Abends ist es bei uns gemütlich. (*Use am* ...)

D. Answer in complete German sentences:

1. Wie heißt eins der bekanntesten Werke von Lessing? 2. Wogegen kämpft Lessing in diesem Werk? 3. Warum sind Lessings Fabeln heute weniger bekannt?

4. Wer tritt in einer von Lessings Fabeln vor Zeus? 5. Was wünscht das Pferd von Zeus? 6. Warum wünscht es längere Beine? einen längeren Hals? eine breitere Brust? einen natürlichen Sattel?

7. Wie erfüllt (*fulfill*) Zeus die Wünsche des Pferdes? 8. Möchte das Pferd so häßlich wie das Kamel werden? 9. Was bedeutet Lessings Fabel?

E. Translate:

1. I prefer to go on foot. 2. I should like best to take a trip to Europe. 3. Goethe is one of the greatest poets. 4. Lessing's fables are not as well known any more as his other works. 5. We shall speak about Schiller, the third great classical poet, later.

F. Read: Noch eine Fabel von Lessing (p. 162)

Zwölfte Aufgabe

Einige Zahlen über Deutschland

Am 18. Januar 1871, am Ende des deutsch-französischen Krieges, vereinigten sich die deutschen Staaten, ohne Österreich, zum Deutschen Reich. Dieses Reich umfaßte 540 900 Quadratkilometer (qkm); das sind 208 000 Quadratmeilen. Nach dem ersten Weltkriege (1914–1918) verlor das Deutsche Reich 70 500 qkm oder 27 000 Quadratmeilen. Nach dem zweiten Weltkriege (1939–1945) teilten die Sieger das Reich in einen westlichen und einen östlichen Teil. Der westliche Teil, das Gebiet der deutschen Bundesrepublik, ist nur noch 247 947 qkm oder 95 733 Quadratmeilen groß. Dies ist also weniger als die Hälfte des Reiches vor dem ersten Weltkriege.

Im Jahre 1939 hatte das Deutsche Reich eine Bevölkerung von 69 300 000 Menschen. Im Jahre 1957 lebten in der Bundesrepublik 50,5 Millionen [1] Menschen, 2,2 Millionen in West-Berlin und 17,5 Millionen in der Ostzone.

Zum Vergleich geben wir die folgenden Zahlen: Die Vereinigten Staaten haben mehr als 180 Millionen Einwohner. Diese bewohnen einen Raum von 7 828 000 qkm oder 3 022 000 Quadratmeilen (ohne Alaska und Hawaii). In USA wohnten im Jahre 1955 21 Menschen auf einem Quadratkilometer oder 54 Menschen auf einer Quadratmeile. In der Deutschen Bundesrepublik aber waren die Zahlen zehnmal so groß, nämlich 204 und 528.

Die größte Stadt Deutschlands ist Berlin mit 3 344 000 Einwohnern. Die zweitgrößte Stadt ist Hamburg mit 1 793 000 Einwohnern. Dann folgen München mit einer Million, Köln mit 727 000 und Essen mit 698 000 Einwohnern.

Der höchste Berg Deutschlands, die Zugspitze in den Alpen, ist 2968 Meter oder 9721 Fuß hoch.

---

[1] *Read:* fünfzig Komma fünf Millio'nen.

Wortschatz

die **Bevöl'kerung** population
bewoh'nen inhabit
die **Bun'desrepublik'** (= der
  Bund, –es, ⁻e alliance + die
  Republik', –en republic) Federal Republic
der **Einwohner**, –s, — inhabitant
franzö'sisch French
der **Fuß** foot; *not declined when
  used as a measurement*
das **Geld**, –es, –er money
größt– greatest, biggest, largest;
  tallest
die **Hälfte**, –n half
das **heißt** (*abbr.* **d.h.**) that is, i.e.
höchst– highest
der **Krieg**, –es, –e war
der *or* das **Meter**, –s, — meter
die **Ostzone** East Zone
der *or* das **Quadrat'kilome'ter**,
  –s, — (*abbr.* qkm) square kilometer
die **Quadrat'meile**, –n square
  mile
der **Raum**, –es, ⁻e room, space
das **Reich**, –es, –e empire, state,
  commonwealth

der **Sieger**, –s, — victor
der **Staat**, –es, –en state
teilen divide
umfas'sen embrace, comprise
verei'nigen unite; **sich — zu**
  unite to form; die **Verei'nigten
  Staaten** United States
der **Vergleich'**, –s, –e comparison;
  zum — for comparison
verlie'ren lose
der **Weltkrieg**, –es, –e World War
weniger less
westlich western
zweitgrößt– second largest

Names of days:

der **Sonntag**, –s, –e Sunday;
  **Montag, Dienstag, Mittwoch,
  Donnerstag, Freitag, Samstag**
  or **Sonnabend**

Names of months:

der **Januar**, –s January; **Februar,
  März, April', Mai, Juni, Juli,
  August', Septem'ber, Okto'-
  ber, Novem'ber, Dezem'ber**

Grammar

71. *CARDINAL NUMERALS* (slight irregularities underlined):

0 null	11 elf	22 zweiundzwanzig
1 eins	12 zwölf	26 sechsundzwanzig
2 zwei	13 dreizehn	27 siebenundzwanzig
3 drei	14 vierzehn (*short i*)	28 achtundzwanzig
4 vier	15 fünfzehn	30 dreißig
5 fünf	16 sechzehn	40 vierzig (*short i*)
6 sechs	17 siebzehn	50 fünfzig
7 sieben	18 achtzehn	60 sechzig
8 acht	19 neunzehn	70 siebzig
9 neun	20 zwanzig	80 achtzig
10 zehn	21 einundzwanzig	90 neunzig

100 (ein)hundert	139 hundertneununddreißig	1000 (ein)tausend
101 hunderteins	217 zweihundertsiebzehn	12 000 zwölftausend

eine Million'	a (one) million	eine Milliar'de	one billion
zwei Millio'nen	two million(s)	eine Billion'	1000 billion(s)
			(see note 2)

1965 eintausend neunhundert fünfundsechzig; as year number: **neunzehnhundert fünfundsechzig** (not shortened to '65). *In 1965* is either **im Jahre 1965** or simply **1965.**

Notes. (1) Cardinal numerals usually add no endings, except **eins** *one,* which has the same forms as **ein** *a* (§§ 34–36; **eins** is the neuter used as a pronoun, § 36): **ein Teller** *a* or *one plate,* **eine Aufgabe** *a* or *one lesson,* **ein Buch** *a* or *one book;* **ich habe einen, eine, ein(e)s** *I have one.*

(2) **Million, Milliarde, Billion** are weak feminine nouns. One billion is 1000 millions in France and the United States, a million millions in Great Britain and Germany.

(3) 100 and 1000 are used without indefinite article (*a* hundred). Prefixed **ein–** is a numeral, *one.*

(4) Instead of the decimal point German more commonly uses the comma: **4,20 (vier Komma zwanzig)** *4.20.*

(5) The ending **–mal** added to a cardinal numeral means *times:* **dreimal** *three times,* **viermal, hundertmal,** etc.; **einmal** *once,* **zweimal** *twice.*

72. *ORDINAL NUMERALS* (English ending usually *–th*) add **–t–** from 2 to 19, **–st–** from 20 up. Only *first* and *third* are quite irregular. Being adjectives, ordinals add further adjective endings:

der (die, das) erste *the first,* zweite *second,* dritte *third,* vierte *fourth* fünfte, sechste, sieb(en)te, achte, neunzehnte; der zwanzigste, einunddreißigste, hundertste, tausendste; ein zweiter, zweites

73. Ordinals used to express dates, hardly ever written out in full, must be read with the correct adjective endings:

Heute ist der 11. Oktober (der elfte)

Stuttgart, den 21. Oktober (den einundzwanzigsten: *accusative of time,* § 7c)

Notes. (1) German uses a period to indicate the ordinal ending: der 11. *the 11th.*

(2) There is no preposition between the day and month (i.e. *of* is not translated).

(3) The word order *October 21* is not used in German.

(4) Abbreviations: 21.10.65 or 21.X.65 (not 10/21/65).

Similarly: Ludwig XIV. (der Vierzehnte); Wilhelms II. (des Zweiten).

74. The suffix **–ens** added to the stem of the ordinal means *–ly:* erstens, zweitens, drittens, etc. *firstly, secondly, thirdly,* etc.

The suffix **–el** added to the stem of the ordinal indicates fractions: **ein Drittel** *one third,* **ein Viertel** (short *i*) *one fourth, quarter,* **drei Zwanzigstel** (**–tel** is short for **Teil** *part*). But *one half* is irregular as in English — **ein halb** (adj.) or **die Hälfte** (noun):

> eine halbe Stunde *a half hour, half an hour*
> die Hälfte eines Jahres *half of a year*
> die andere Hälfte *the other half*

75. Clock Time. In answer to the question **Wie spät ist es?** or **Wieviel Uhr ist es?** the time is given approximately as in English, except that German can also count forward and backward from the half hour:

> 7:00 A.M. (P.M.) = sieben Uhr vormittags (nachmittags, abends) (abridged: vorm., nachm.)
> 10:30 = halb elf ("half of eleventh hour")
> 10:15 = (ein) Viertel nach zehn
> 10:45 = (ein) Viertel vor elf
> 10:20 = zwanzig Minuten nach zehn; zehn Minuten vor halb elf
> 12:40 = zwanzig Minuten vor eins; zehn Minuten nach halb eins; for train time: zwölf Uhr vierzig

Mostly for train time and in public announcements, time is counted through from **null Uhr** (*midnight*) to **24 Uhr.** Thus **20 Uhr** = 8 P.M.

Another way of giving time by fractions of the following hour is: 10:15 (ein) Viertel elf; 10:45 dreiviertel elf.

With clock time **Uhr** means *o'clock,* **um** means *at* (not *around!*): **um ein Uhr** *at one o'clock.* (*Around one o'clock* is **gegen ein Uhr** or **etwa um ein Uhr.**)

Übungen

A. Supply the proper forms of the words and numbers in parentheses:
1. Die Klassen beginnen (*at 8 o'clock*). 2. Um (*12:30*) kehre ich nach Hause zurück. 3. Wir essen (*at 1:15*) zu Mittag. 4. (*Three*

times), am (*Monday, Wednesday, Friday*), habe ich (*three*) Stunden; (*twice*), am (*Tuesday and Thursday*), habe ich (*four*) Stunden. 5. Das sind (*17*) Stunden in der Woche. 6. Wir sollen für jede Stunde (*two*) Stunden zu Hause arbeiten; das sind (*34*) in der Woche. 7. Mit den (*17*) Stunden sind das zusammen (*51*) Stunden. 8. Der Professor sagt: Es ist besser, (*one third*) mehr zu arbeiten als (*one fourth or fifth*) weniger. 9. Die Studenten sagen: „Das war im (*18th and 19th*) Jahrhundert gut; aber jetzt sind wir schon in (*the second half*) des (*20th*) Jahrhunderts." 10. Die Menschen arbeiten nur noch (*two thirds*) soviel und bekommen wenigstens (*three times*) soviel Geld.

B. Answer in complete German sentences:

1. Wann feiern Sie Ihren Geburtstag? 2. Wie alt werden Sie dann? 3. In welchem Jahre sind Sie geboren? 4. Wann sind Ihre deutschen Stunden? 5. Wann gehen Sie aus dem Hause? 6. Welches Datum (*date*) ist heute? 7. Wann beginnt das zweite Semester? 8. Wann endet es? 9. Wieviel Studenten sind auf dieser Universität? 10. Wieviel Menschen wohnen in dieser Stadt? 11. Wann beginnt und endet der Winter? 12. Wann der Sommer? 13. Wieviele Tage hat das Jahr? 14. Wie schnell fahren Sie mit Ihrem neuen Wagen (*car*)? 15. Seit wann haben Sie ihn schon?

C. Answer in complete German sentences:

1. Wann vereinigten sich die deutschen Staaten zum Deutschen Reiche? 2. Wann verlor Deutschland große Teile des Landes? 3. In welche Teile teilten die Sieger Deutschland nach dem zweiten Weltkrieg?

4. Wie groß war die Bevölkerung Deutschlands im Jahre 1939? 5. Wie groß war sie im Jahre 1957? 6. Wieviel Einwohner haben die Vereinigten Staaten von Nordamerika? 7. Welches sind die größten Städte Deutschlands? 8. Wie hoch ist der höchste Berg Deutschlands?

D. Translate, writing out the numerals:

1. Today is Tuesday, March 15. 2. The birthday of my mother is on July 27. 3. My brother comes back at a quarter past seven. 4. What time is it now? 5. It is 5:30. 6. One (the) half is enough for me.

E. Read: Gauß (p. 162)

Dreizehnte Aufgabe

„Ich weiß nicht, was soll es bedeuten"

Mein deutscher Freund Hans schrieb mir vor einigen Tagen den folgenden Brief:

Es war an einem der schönsten Tage des Sommers. Wir hatten Sommerferien. Nach einer langen Reise durch den Süden Deutschlands kam ich mit einem Freunde nach Mainz. Dort ist ein großer, siebenhundert (700) Jahre alter Dom. Diesen interessanten Dom besuchten wir natürlich.

Am folgenden Tage fuhren wir mit dem Schiff den Rhein hinunter nach Bonn. Zur rechten Seite erhoben sich steile, hohe Weinberge. Bei Bingen wurde der Fluß sehr schmal; hohe Berge und steile Felsen begleiteten den Fluß. Burgen und Burgruinen lagen auf den Bergen. Langsam folgte das Schiff zwischen hohen Felsen den scharfen Windungen des Flusses.

Auf einmal wurde das ganze Schiff lebendig. Alle erhoben ihre Gläser und sangen das bekannte Lied von Heinrich Heine: „Ich weiß nicht, was soll [1] es bedeuten, daß ich so traurig bin." Wir waren unter dem Loreleifelsen, und sie sangen das Lied von der Lorelei. Nach einer der vielen Rheinsagen saß vor langen Jahren eine Jungfrau, die Lorelei, auf dem Felsen. Heine erzählt die Sage mit folgenden Worten:

> Die schönste Jungfrau sitzet [2]
> dort oben wunderbar,
> ihr gold'nes Geschmeide blitzet, [2]
> sie kämmt ihr goldenes Haar.

---

[1] **soll** *is supposed to;* here freely: *may, does.*   [2] Poetic use of older forms for *sitzt, blitzt.*

Am Bodensee

Rothenburg:
Rathausturm und alte Häuser

Burg und Städtchen am Rhein

Hamburg:
Alte Häuser an einem Kanal

Hannover: Bahnhofsplatz

Badestrand

Salzburg, Österreich:
Feste Hohensalzburg

Ulm an der Donau:
Münster mit dem höchsten Kirchturm der Welt

Sie kämmt es mit goldenem Kamme
und singt ein Lied dabei,
das hat eine wundersame,
gewaltige Melodei.

Die Schiffer sahen nur zu der Schönen hinauf. Sie sahen die
Felsen im Flusse nicht und versanken mit ihren Schiffen in den
Wellen. Ein trauriges Lied!
Warum singen fröhliche Menschen solch traurige Lieder? Ich
weiß es nicht. Aber es war eine wunderbare Fahrt, und ich werde
die Lorelei, den guten Wein und das traurige Lied fröhlicher
Menschen nie vergessen.

Wortschatz

beglei′ten accompany
blitzen flash, sparkle; **es blitzt**
  there is lightning
dabei′ at it; at the same time
daß that
der **Dom, −es, −e** cathedral
einmal: auf — at once, suddenly
erheben (*past* **erhob**) raise; **sich**
  — rise
die **Fahrt, −en** trip
der **Felsen, −s, —** rock
fröhlich happy, merry
fuhr *past of* **fahren**
das **Geschmei′de, −s, —** jewelry
gewal′tig powerful
das **Haar, −es, −e** hair
hinauf′-sehen look up
hinun′ter-fahren drive down,
  ride down, go down (*in a vehicle*)
interessant′ interesting
die **Jungfrau, −en** maiden
kam *past of* **kommen**
der **Kamm, −es, ⁻e** comb; **käm-**
  men comb
lag *past of* **liegen**
langsam slow
leben′dig living, alive, vivacious
das **Lied, −es, −er** song
der **Lorelei′felsen, −s** (= die

Lorelei′ + der **Felsen**) rock of
  the Lorelei
die **Melodei′** = **Melodie′, −n** melody
nahm *past of* **nehmen**
nie never
die **Sage, −n** saga, legend
sah *past of* **sehen**
sang *past of* **singen**
saß *past of* **sitzen**
scharf sharp
der **Schiffer, −s, —** skipper, boatman
schmal narrow
schrieb *past of* **schreiben**
die **Seite, −n** side; page
die **Sommerferien** (*pl.*) summer
  vacation
steil steep
traurig sad, melancholy
verges′sen forget
versin′ken (*past* **versank**) sink
der **Weinberg, −s, −e** vineyard (*on
  hills*)
die **Welle, −n** wave
die **Windung, −en** winding, curve
wunderbar wonderful; miraculous
wundersam strange
wurde *past of* **werden**

Grammar

76. The past participle usually has the prefix **ge–** and always the ending **–(e)t** (weak verbs) or **–en** (strong verbs): ge̲liebt̲ *loved*, ge̲antwortet̲ *answered*, ge̲schrieben̲ *written*.

The prefix **ge–** is not added to verbs with inseparable prefixes (§ 48) nor to verbs ending in **–ieren**: begonnen, erzählt, studiert.

Verbs with separable prefixes (§ 49) insert **–ge–** between the prefix and the verb proper: wieder̲geholt, zurück̲gewonnen (compare position of **zu,** § 51).

77. To form *COMPOUND TENSES* (tenses with more than one verb form: *he has come, he will have learned*) the verbs **haben** *have, own, possess,* **sein** *be, exist,* and **werden** *become* are used ("auxiliary verbs," helping verbs). Then **werden** corresponds to *will, shall,* **haben** to *have,* and **sein** usually to *be* but sometimes to *have* (§ 78, note 3).

Their principal parts (§ 52) are **haben, hatte, gehabt; sein, war, (ist) gewesen; werden, wurde, (ist) geworden.** Apart from the present tense (§§ 4, 13, 47) they are conjugated like other weak or strong verbs (§§ 52, 138–140).

78. The function of **haben, sein,** and **werden** as tense auxiliaries is illustrated by the following tense patterns (complete conjugations §§ 141–142):

PRESENT	er schreibt *he writes*	er kommt *he comes*
PAST	er schrieb *he wrote*	er kam *he came*
PRES. PERF.	er hat geschrieben *he has written*	er i̲st gekommen *he ha̲s come* (note 3)
PAST PERF.	er hatte geschrieben *he had written*	er war gekommen *he had come*
FUTURE	er wird schreiben *he will write*	er wird kommen *he will come*
FUT. PERF.	er wird geschrieben haben *he will have written*	er wird gekommen sein *he will have come*

Notes to Tenses. (1) Remember (§ 11) that the German simple verb is also used for English progressive and emphatic forms: he wrote = he was writing, he did (not) write.

(2) The function of the present perfect in German is not always the same as in English. *He has written* must often be replaced by *he*

wrote. Conversational German especially favors the present perfect over the simple past.[1] But the past perfect (pluperfect) has no alternative translation. Note: **hat** must never be translated by *had.*

(3) The auxiliary of the present perfect and past perfect is usually **haben.** It is **sein** (compare older English *he is come*) with intransitive verbs (verbs not requiring an accusative object) which mark change of position or condition: er ist geritten *he has ridden, he rode;* er war zurückgekehrt *he had returned;* er ist gestorben *he has died, he died;* er war geworden *he had become.* But with an object: Er hat das Pferd geritten. *He rode the horse.*

The auxiliary **sein** is also used with **sein** itself and with **bleiben** *remain,* **gelingen** *succeed,* **geschehen** *happen:* Er ist krank gewesen. Er war zu Hause geblieben. Was ist geschehen?

Thus **ist** can mean *is* or *has,* **war** *was* or *had,* but **hatte** is always *had.*

(4) The future and future perfect are often used not for future time but for present and past probability:

Er wird krank sein. *He is probably ill.*
Er wird krank gewesen sein. *He has probably been ill. He was probably sick.*

(5) Infinitives and participles both stand at the end (§ 9). The participle precedes the infinitive (reverse of English): Er wird [1] einen Brief [2] geschrieben [3] haben. *He will [3] have [2] written [1] a letter* (*probably wrote a letter*).

79. German *STRONG VERBS* correspond usually but not always to English strong verbs. Learn strong verbs with their principal parts.

The vowel scheme ("Ablaut") of most strong verbs falls into one of seven patterns. The patterns of the first four classes are:

1*a*	ei	ie	ie	schreiben	schrieb	geschrieben
b	ei	i	i	reiten	ritt	geritten
2*a*	ie	ō	ō	verlieren	verlor	verloren
b	ie	ŏ	ŏ	fließen	floß	geflossen
3	i	a	u	singen	sang	gesungen
4*a*	ē	ā	ō	befehlen	befahl	befohlen
b	ĕ	ä	ŏ	helfen	half	geholfen

[1] In detached statements referring to past events even formal language uses the present perfect: **Kolumbus hat Amerika entdeckt.** *Columbus discovered America.*

Notes.   (1) In Class 3 the vowel is followed by **n** + another consonant; in Class 4 usually by **l, m,** or **r.** Verbs of Class 3 with **nn, mm** have **o** instead of **u** in the past participle: gewinnen, gewonnen; schwimmen, geschwommen.

(2) Few strong verbs have changes in consonants: leiden, litt, gelitten *suffer* (1*b*), ziehen, zog, gezogen *draw, pull* (2*a*); but the length and shortness of vowels sometimes requires adjustments in spelling: reiten, ritt (1*b*).

(3) The two patterns of all subdivided classes differ only in vowel length; but in Class 4 they are sometimes intertwined. To 4*b*, but with long a in the past, belong **sprechen, spräch, gesprochen; brechen, bräch, gebrochen** *break;* **treffen, träf, getroffen.** To 4*a*, but with a short vowel in some forms, belongs **nehmen, nahm, genommen (nimmst, nimmt, nimm!).**

(4) To Class 4 belongs **wērden, ward, geworden,** but **ward** is now usually replaced by **wurde,** which is conjugated like a weak past: ich wurde, du wurdest, er wurde; wir wurden, ihr wurdet, sie wurden.

Übungen

A. State in the past:

1. Die Sonne scheint schön.   2. Wir treffen unsere Freunde vor der Stadt.   3. Sie reiten auf ihren Pferden.   4. Sie kommen am Abend zu uns.   5. Wir singen deutsche Lieder.   6. Sie trinken auf unser Wohl.   7. Wir sprechen über unsere Ausflüge.   8. Es wird spät.

9. Der junge Krieger flieht nicht.   10. Er verliert sein Leben im Kampfe.

B. Translate and state in the present perfect:

1. Schreibst du oft an deine Eltern?   2. Bekamt ihr viele Briefe?   3. Er steigt mit uns auf den Berg hinauf.   4. Wir blieben bis zum Abend auf dem Berge.   5. Wir fanden dort andere Freunde.   6. Sie schalten uns.   7. Sie helfen uns nie.

8. Die Schiffer versinken mit ihren Schiffen in den Wellen.   9. Alle erheben ihre Gläser und singen.   10. Die Deutschen drangen im Mittelalter nach Osten vor.   11. Die Deutschen verloren in den Kriegen viel Land.   12. Wer begann den letzten Krieg?

C. State in the future perfect and translate as probability:

1. Er kam heute nicht.   2. Sie werden ihre Bücher nicht finden.
3. Er traf seinen Freund nicht.

D. Answer in complete German sentences:

1. Wer ist Hans?   2. Wo war er in den Sommerferien?   3. Wie alt ist der Dom zu Mainz?

4. Wohin fuhr Hans am folgenden Tage mit seinem Freunde?
5. Beschreiben Sie (*describe*) die Ufer (*shores*) des Rheines bei Bingen!

6. Warum wurden die Menschen auf dem Schiffe auf einmal lebendig?   7. Welches Lied sangen sie?   8. Wer ist der Dichter des Liedes?   9. Wer war die Lorelei?   10. Wo saß sie vor langer Zeit?   11. Was tat sie dort?   12. Was war das Schicksal der Schiffer, die (*who*) zu ihr hinaufsahen?   13. Waren die Menschen auf dem Schiffe so traurig wie ihr Lied?   14. Was kann Hans nie vergessen?

E. Translate:

1. My friends wrote me several letters from their trip through the south of Germany.   2. They went (rode) by boat down the Rhine.
3. They came to the Lorelei, a high rock on the Rhine.   4. Everyone on the boat sang Heine's sad song about (**von**) the Lorelei.
5. I shall never forget those happy people and their sad song.

F. Read: Drei Ohrfeigen (p. 163)

Vierzehnte Aufgabe

Einiges aus der Geschichte Deutschlands (I)

In den ersten Jahrhunderten zerfielen die germanischen Stämme in drei Gruppen: die Nord-, Ost- und Westgermanen. Die Ostgermanen sind während der Völkerwanderung in den südlichen Ländern Europas verschwunden. Die Nordgermanen heißen heute Skandinavier. Die Engländer, die Holländer und die Deutschen gehören zu den Westgermanen.

Unter Karl dem Großen [1] schlossen sich die deutschen Stämme zusammen. Karl selbst empfing im Jahre 800 in Rom vom Papste die Kaiserkrone als Kaiser von Deutschland und Frankreich. Von 962 an spricht man von dem „Heiligen Römischen Reich Deutscher Nation." Im 12. und 13. Jahrhundert wurde dieses Reich unter den Hohenstaufen [2] (1138–1254) der mächtigste Staat Europas. Vom 13. Jahrhundert an übernahm Österreich unter dem Herrscherhause der Habsburger [2] die Führung des Reiches. Aber die Reformation spaltete das Reich am Anfang des 16. Jahrhunderts in einen protestantischen und einen katholischen Teil. Am Anfang des 17. Jahrhunderts (1618) kam es zum Kriege zwischen den beiden Parteien. Nach dreißig Jahren schloß man Frieden. Dreißig Jahre lang hatten die beiden Parteien gekämpft und ihre Länder verwüstet, aber keine hatte ihr Ziel erreicht. Am Ende des Krieges zerfiel Deutschland in mehr als dreihundert Staaten. Der Kaiser hatte fast keine Macht mehr.

Das 18. Jahrhundert sah den wachsenden Einfluß Brandenburg-Preußens. König Friedrich der Große von Preußen (1740–1786) besiegte Österreich in drei Kriegen. Damit trat Preußen an die Stelle Österreichs und übernahm die Führung unter den

---

[1] *Charlemagne.*   [2] Names of ruling families.

deutschen Staaten.   Die Führung Österreichs und des Kaisers
stand nur noch auf dem Papier.
    Im Jahre 1805 schlug Napoleon die Österreicher bei Austerlitz
und machte damit dem Heiligen Römischen Reiche ein Ende
(1806).   Aber schon im Jahre 1814 verlor Napoleon seine Macht
über Europa.   Nun fiel Preußen die Aufgabe zu, die deutschen
Staaten wieder zu vereinigen.   Zuerst schlossen sich die nord-
deutschen Staaten zusammen.   Im Jahre 1871, am Ende des
deutsch-französischen Krieges (1870–1871), vereinigten sich alle
deutschen Staaten, aber ohne Österreich, die Schweiz und Luxemburg.   Der König von Preußen wurde Deutscher Kaiser.   Eine
Zeit des Fortschritts auf allen Gebieten begann.

Wortschatz

der **Anfang, –s, ⁻e** beginning
bekämp′fen fight
besie′gen defeat
damit with that
der **Einfluß, –sses, ⁻sse** influence
einiges something
empfan′gen receive, get
der **Engländer, –s, —** Englishman
errei′chen obtain, attain
fast almost
der **Fortschritt, –s, –e** progress
die **Führung, –en** leadership,
    guidance
gehö′ren zu be among, be part(s)
    of
heilig holy, sacred
das **Herrscherhaus, –es, ⁻er**
    (= der **Herrscher, –s, —** ruler
    + das **Haus**) dynasty, ruling
    family
der **Holländer, –s, —** Dutchman
der **Kaiser, –s, —** emperor; die
    Kaiserkrone imperial crown
katho′lisch Catholic
machen make; **ein Ende —** *with*
    dat. make an end, finish
die **Macht, ⁻e** power; **mächtig**
    mighty, powerful
man one; they
die **Nation′** (*pronounce* **Naziōn′**),
    –en nation, nationality
die **Nordgermanen** North Teutons

die **Ostgermanen** East Teutons
(das) **Österreich, –s** Austria
der **Papst, –es, ⁻e** Pope
die **Partei′, –en** party
(das) **Preußen, –s** Prussia
protestan′tisch Protestant
die **Reformation** (*pronounce*
    —ziōn′), **–en** reformation
(das) **Rōm** Rome
schlagen beat
schließen, schloß, geschlossen
    close; conclude; **Frieden —** make
    peace
die **Schweiz** Switzerland
der **Skandina′vier, –s, —** Scandi-
    navian
spalten split
die **Stelle, –n** place
südlich southern
treten step; **an die Stelle —** take
    the place
überneh′men take over
die **Völkerwanderung, –en**
    (= die **Völker** peoples, nations
    + die **Wanderung, –en** migra-
    tion) Germanic Migration
wachsen grow
die **Westgermanen** West Teutons
zerfal′len fall apart; be divided
zu-fallen fall to
(sich)   **zusam′men-schließen**
    unite

Grammar

80. In strong verbs of Classes 5–7 the past participle has the same vowel as the present and the infinitive:

5*a*	ē	ā	ē	sehen	sah	gesehen	
b	ĕ	ā	ĕ	vergessen	vergaß	vergessen	
6*a*	ā	ū	ā	fahren	fuhr	gefahren	
b	ă	ū	ă	wachsen	wuchs	gewachsen	
7*a*	ā	ie	ā	schlafen	schlief	geschlafen	*sleep*
b	ă	ie	ă	halten	hielt	gehalten	

Notes. (1) Notice that in these classes the vowel of the past is always long. Exceptions: fangen, fing, gefangen *catch;* hangen, hing, gehangen *hang* (7*b*).

(2) Three verbs in Class 5 have an irregular present: bitten, bat, gebeten; liegen, lag, gelegen; sitzen, saß, gesessen.

(3) The participle of **essen** (5*b*) is irregular: gegessen (prefix added twice).

(4) In Class 7*a* are a few verbs with a different basic vowel: heißen, hieß, geheißen; stoßen, stieß, gestoßen *push;* rufen, rief, gerufen *call;* laufen, lief, gelaufen *run.*

(5) The vowel change in three forms of the present (§§ 54–55) applies only to Classes 4–7 because they contain the vowels affected by it: du siehst, er sieht, sieh!; er fährt, läuft, befiehlt, hilft. But: er ruft (without vowel change).

81. Irregular strong verbs (all without vowel change in the present) are:

gehen	ging	gegangen	kommen	kām	gekommen
stehen	stand	gestanden	tūn	tāt	getān

Übungen

A. State in the simple past and translate:

1. Wir sind mit dem Schiff den Rhein hinuntergefahren. 2. Wir haben die Lorelei gesehen und Lieder gesungen. 3. Nach der Legende sehen die Schiffer zur Jungfrau hinauf. 4. Sie vergessen die Felsen und versinken mit ihrem Schiffe in den Wellen. 5. Das tut die Lorelei mit ihren Liedern.

6. Frank und seine Frau gehen in die Stadt und treffen Herrn Kunz. 7. Sie bitten ihn, ein Stück mit ihnen zu gehen. 8. Sie fahren mit dem Autobus nach Hause zurück.

9. Wer sitzt in der Klasse neben dir? 10. Du hast mir versprochen, mit uns zu gehen. 11. Er läßt mich warten. 12. Mein kleiner Bruder trägt sie nach Hause. 13. Wir bekommen jede Woche einen Brief von unserer Schwester.

B. State in the past perfect:

1. Karl der Große empfing vom Papste die Kaiserkrone. 2. Preußen tritt an die Stelle Österreichs und übernimmt die Führung des Reiches. 3. Das Reich zerfällt nach dem Dreißigjährigen Kriege. 4. Der Einfluß Preußens wächst im 18. Jahrhundert. 5. Wer schrieb das Hildebrandslied auf? 6. Wann verließ Hildebrand seine Heimat? 7. Nach dreißig Jahren kam er zurück. 8. Der Vater erschlug seinen Sohn.

C. Answer in complete German sentences:

1. In welche Gruppen zerfielen die Germanen? 2. Was wurde aus den Ostgermanen? 3. Wo wohnen die Nordgermanen? 4. Welche Völker gehören zu den Westgermanen? 5. Unter welchem Namen schlossen sich die deutschen Stämme zusammen? 6. Wie hieß der erste Kaiser des neuen Reiches? 7. Um welche Zeit waren die Hohenstaufen deutsche Kaiser? 8. Wer übernahm später die Führung des Reiches? 9. Wann spaltete sich das Reich in zwei Parteien? 10. In welche Teile spaltete es sich? 11. Wer gewann im dreißigjährigen Kriege? 12. Was bedeutet Friedrich der Große in der Geschichte Deutschlands? 13. Was bedeutet Napoleons Sieg bei Austerlitz für Deutschland? 14. Welcher Staat wurde im 19. Jahrhundert die führende Macht in Deutschland? 15. Wann vereinigten sich die meisten deutschen Staaten? 16. Wer wurde deutscher Kaiser?

D. Translate:

1. Prussia had become the leading power in Germany. 2. It had taken (over) the place of Austria. 3. The first emperor of the German Empire was named Wilhelm I. 4. His younger brother has grown much (sehr) during the last year. 5. Our good friends probably have forgotten us.

E. Read: Eine Tasse Kaffee (p. 164)

Fünfzehnte Aufgabe

Verb III: Weak Verb

Aus der deutschen Geschichte (II)

Die Zeit zwischen dem deutsch-französischen Kriege und dem ersten Weltkriege war eine Zeit des Friedens und des industriellen und wissenschaftlichen Fortschritts. Deutschland war auf dem besten Wege, eine Weltmacht zu werden. Es trat in Konkurrenz mit England und entwickelte eine starke militärische Macht. Das Vertrauen auf diese Macht war eine der Ursachen des ersten Weltkrieges. Nach diesem Kriege verlor das besiegte Reich große Teile des Landes an seine Nachbarn im Osten und Westen. Der Kaiser floh nach Holland, und eine Republik trat an die Stelle der Monarchie. Dann aber begann die Zeit der Inflation; das Geld wurde jede Stunde weniger wert. Man vergaß alles andere, sprach nur noch über das Geld und dachte den ganzen Tag: „Was ist die Mark heute noch wert? Was wird sie morgen noch wert sein? Wann und wie wird das ein Ende nehmen? Nie haben wir ein schlechteres Leben gehabt." Man aß jeden Tag schlechter. Es wurde immer schwerer, Arbeit zu finden.

Dann erschien Hitler und versprach dem Lande „goldene Berge." Der Nationalsozialismus wuchs zur stärksten Partei des Landes heran. So wurde im Jahre 1933 Hitler Kanzler des Reiches. In kürzester Zeit verwandelte sich die alte Demokratie in eine Diktatur. Hitler setzte sich das phantastische Ziel, das „tausendjährige Reich" zu begründen und Deutschland zum führenden Lande in Europa zu machen. Das war der Anfang seines Endes und der Ruin des Reiches.

Der zweite Weltkrieg begann mit großen Erfolgen. Aber bald wendete sich das Glück. Feindliche Flugzeuge zerstörten die Städte, viele Millionen fielen als Opfer der Ideen eines wahnsinnigen Führers. Wieder verlor Deutschland große Teile seines Landes und stand vor der Frage: Wie kann man den Osten und Westen Deutschlands wieder vereinigen? Wird Deutschland je wieder werden, was es im Laufe der Geschichte geworden und noch in den Jahren vor den beiden Weltkriegen gewesen war? Oder werden sich die westlichen Länder als Vereinigte Staaten von Europa zusammenschließen?

Wortschatz

die **Arbeit**, –en work
begrün'den found, establish
best–: **auf dem besten Wege** well on the way
dachte *past of* **denken** think
die **Demokratie'**, –n democracy
die **Diktatur'**, –en dictatorship
der **Erfolg'**, –es, –e success
fallen (fällt), fiel, ist gefal'len fall
feindlich hostile
das **Flugzeug**, –es, –e (aero)plane
führen lead; der **Führer**, –s, — guide, leader
heran'-wachsen (wächst heran), wuchs heran, ist herangewachsen (zu) grow up (into)
die **Idee'**, –n idea
die **Industrie'**, –n industry; **industriell'** industrial
die **Inflation**, –en (*pronounce* –ziōn'*) inflation
je ever
der **Kanzler**, –s, — chancellor, prime minister
die **Konkurrenz'** competition
kurz short
der **Lauf**, –es, ⁔e course
machen zu make (into)

die **Mark**, — mark (*currency*)
militä'risch military
die **Milliōn'**, –en million
die **Monarchie'**, –n monarchy
der **Nachbar**, –s *or* –n, –n neighbor
der **National'sozialis'mus** (*pronounce* **Nazional'–**) National Socialism
das **Opfer**, –s, — victim
phanta'stisch fantastic
die **Republīk'**, –en republic
der **Ruin'**, –s ruin
stark strong
tausendjährig of a thousand years
die **Ursache**, –n cause
verspre'chen (verspricht), versprach, versprochen promise
das **Vertrau'en (auf + *acc.*)** confidence, trust (in)
(sich) verwan'deln change
wahnsinnig insane
die **Weltmacht**, ⁔e world power
(sich) wenden, *regular or* **wandte, gewandt** turn
wissenschaftlich scientific
zerstö'ren destroy

Grammar

82. The tenses, illustrated in § 78 by strong verbs, are as follows for weak verbs (complete conjugations § 141):

PRESENT	er fragt	er antwortet	er erzählt
PAST	er fragte	er antwortete	er erzählte
PRES. PERF.	er hat gefragt	er hat geantwortet	er hat erzählt
PAST PERF.	er hatte gefragt	er hatte geantwortet	er hatte erzählt
FUTURE	er wird fragen	er wird antworten	er wird erzählen
FUT. PERF.	er wird gefragt haben	er wird geantwortet haben	er wird erzählt haben

PRESENT	er hört auf	er studiert	er folgt
PAST	er hörte auf	er studierte	er folgte
PRES. PERF.	er hat aufgehört	er hat studiert	er ist gefolgt
PAST PERF.	er hatte aufgehört	er hatte studiert	er war gefolgt
FUTURE	er wird aufhören	er wird studieren	er wird folgen
FUT. PERF.	er wird aufgehört haben	er wird studiert haben	er wird gefolgt sein

The notes about tenses in § 78 apply to weak verbs as well. Note in addition that in the important third person singular the ending –t (English –s) marks the present, –te (English –ed) the past: er hört auf *he stops;* er hörte auf *he stopped.* Similarly: er hat aufgehört *he has stopped;* er hatte aufgehört *he had stopped.*

As in English, past participles and present participles (§ 9) of weak and strong verbs are often used as adjectives and are then treated just like other adjectives (§§ 57–63): eine gut erzählte Geschichte *a well told story;* ein schön gesungenes Lied *a song sung beautifully;* Studierende *persons studying;* der lachende Student *the laughing student.*

Übungen

A. State in the past:

1. Wir begleiten unsern Freund Hans.   2. Wir setzen uns in ein Restaurant und trinken eine Tasse Kaffee.   3. Er erzählt uns von seiner Reise nach Deutschland.   4. Wir rauchen einige Zigaretten.   5. Einer seiner Freunde kommt an unsern Tisch.   6. Er stellt ihn uns vor.   7. Wir reden lange, und aus der einen Tasse Kaffee werden drei.

B. State in the present perfect:

1. Zwischen 1871 und 1914 entwickelte sich Deutschland zu einer der größten Mächte Europas.   2. Seine Industrie machte große Fortschritte.   3. Im ersten Weltkriege wendete sich das Glück. 4. Deutschland verlor große Teile des Landes.   5. Das Geld wurde immer weniger wert.   6. Man hatte nie ein schlechteres Leben, so glaubte man.

7. Später wurde es viel schlimmer.   8. Unter Hitler entwickelte sich eine Diktatur.

9. Im Mittelalter kolonisierten die Deutschen Länder östlich der Elbe.   10. Wir studieren deutsche Geschichte.

C. State in the past perfect:

1. Sie kehrten von ihrer Reise zurück.   2. Sie besuchten viele Städte.   3. Ihr habt euer Ziel erreicht.

D. Supply the proper German form of the infinitive with **zu:**

1. Meine Eltern hoffen, heute *(return)*.   2. Wir baten ihn, uns seinen Freunden *(introduce)*.   3. Der Professor bat uns, die letzten Aufgaben *(review)*.   4. Der Vater erlaubt seinem Sohne nicht, das Geschenk *(accept)*.

E. Answer in complete German sentences:

1. Zu welcher Zeit machte Deutschland große Fortschritte in Industrie und Wissenschaft?   2. Mit welchem Lande trat Deutschland in Konkurrenz?   3. Welches war eine der Ursachen des ersten Weltkrieges?   4. Wo verlor Deutschland Gebiete nach dem Kriege?   5. Wann wurde Deutschland eine Republik?   6. Was wurde während der Inflation aus dem deutschen Gelde?   7. Was fragten sich die Deutschen während der Inflation?

8. Warum hatten Hitler und der Nationalsozialismus Erfolg bei den Deutschen?   9. Was machte Hitler aus der Republik? 10. Welches phantastische Ziel hatte er?   11. Was war das Schicksal Deutschlands im zweiten Weltkriege?   12. Was verlor Deutschland nach diesem Kriege?   13. Vor was für Fragen stand Deutschland nach dem Kriege?

F. Translate:

1. He speaks only about himself and his money.   2. He has not enough confidence in himself.   3. He grew (to be) one of the first men in his country.   4. His country had a growing influence among the states of Europe.

G. Read: Aus Friedrich Hebbels Kindheit (p. 165)

REVIEW EXERCISES
lessons 11-15

A. *Supply the proper forms of the words in parentheses:*
1. Wir sind schon in der (*second half*) des (*first*) Semesters.
2. Über (*one fourth*) des Jahres liegt hinter uns. 3. Heute ist der (*21st*) November, und wir sind bei der (*15th*) Aufgabe. 4. Wir haben schon (*half a*) deutsches Buch gelesen, nämlich (*85*) Seiten.
5. Was macht Ihr (*younger*) Bruder? 6. Er ist wohl viel (*taller*) geworden. 7. Geht er schon auf die (*higher*) Schule?
8. Es ist (*good*) für ihn, denn er (*would like to*) studieren.

B. Verbs. *State in the past and in the present perfect:*
1. Er wächst zu einem guten Menschen heran. 2. Er vergißt seine besten Freunde nicht. 3. Er nimmt das Leben schwer.
4. Er verliert keine Zeit und findet immer Zeit für andere.
5. Ihr eßt heute spät zu Mittag. 6. Sitzt ihr zu lange bei der Arbeit? 7. Wir bitten euch, das nicht zu tun.

C. Word Formation.   (a) *Analyze the compound verbs and translate the sentences:*

> *Example:* ausfahren = aus, *out*, + fahren, *drive, ride: drive out, go for a ride*

auf, *up* (*in general*): Die Sonne geht früh auf.   Ich bin spät aufgestanden.

hinauf', *up* (*away from previous place*): Sie stiegen zu Fuß den Berg hinauf.   Die Frauen sind auf einem Esel hinaufgeritten.

herauf', *up* (*towards the present place*): Sie kamen zu uns herauf. Wir haben das Wasser heraufgetragen.

unter–, *down* (*in general*): Die Sonne ist schon untergegangen.

hinun'ter *and* herun'ter, *down* (*as above*): Wir fuhren den Rhein hinunter. — Er kam von dem Berge herunter.

weiter, *on, continue to:* Wir werden heute noch weitergehen (weiterfahren, weiterreiten, weiterwandern).

wieder, *again, back:* Geben Sie mir bitte mein Buch wieder.   Ich hoffe, Sie bald wiederzusehen.

zurück', *back:* Unsere Eltern sind noch nicht zurückgekommen. Wir werden mit der Bahn zurückfahren.   Ich sehe gerne auf diese Reise zurück.

(b) Connect the nouns with familiar verbs and give the meanings:

Example: die Frage (*from* fragen, *ask*) *question*

1. der Dank   2. der Wunsch   3. die Antwort   4. der Kampf
5. der Beginn   6. der Glaube   7. der Schutz   8. die Sprache
9. die Wahl   10. die Hilfe

(c) Analyze and give the meanings of the following masculine agents:

Example: der Sprecher (*from* sprechen, *speak*) *the speaker*

1. der Schützer   2. der Wanderer   3. der Empfänger   4. der Kämpfer   5. der Bewohner   6. der Schreiber   7. der Begleiter
8. der Führer   9. der Finder   10. der Geber

(d) Analyze:

Example: die Lehrerin (*from* der Lehrer, *teacher*) (*female*) *teacher*

1. die Schülerin   2. die Freundin   3. die Leserin   4. die Griechin
5. die Engländerin   6. die Holländerin   7. die Kaiserin   8. die Siegerin   9. die Betrügerin

Goethe: „Der Zauberlehrling"

Vielleicht haben einige von Ihnen schon einmal den „Zauber-lehrling" von Dukas in einem Konzert oder im Rundfunk gehört. Wissen Sie aber auch, woher der französische Komponist Dukas das Thema zu seiner Komposition genommen hat? Er fand es bei Goethe, dem Dichter des „Faust," der in einem seiner Gedichte den Unterschied zwischen Meister und Lehrling behandelt hat. Den Inhalt der Geschichte, den Sie vielleicht nicht alle kennen, wollen wir noch einmal ganz kurz erzählen.

Der alte Hexenmeister hat das Haus verlassen. Sein Lehrling, der allein zu Hause geblieben ist, möchte die Künste des Meisters auch einmal versuchen. Er holt den alten Besen aus der Ecke hervor und spricht zu ihm die Zauberworte, die diesen in einen Knecht verwandeln. Er befiehlt ihm, Wasser für ein Bad zu holen.

Schon läuft der Knecht zum Flusse und bringt das Wasser herbei. Immer wieder kommt er mit mehr Wasser und gießt es in die Badewanne, die bald überzulaufen droht. Der Lehrling will dem Knechte befehlen aufzuhören. Aber er hat das Zauber-wort des Meisters vergessen, das den Knecht wieder in einen Besen verwandelt. In der Verzweiflung nimmt er das Beil, mit dem er den Knecht in zwei Teile spaltet.

Aber nun laufen beide Teile zum Flusse, um Wasser zu holen. Das Wasser überschwemmt das ganze Haus und strömt zur Tür hinaus. In seiner Not ruft der Lehrling nach dem alten Meister, der auch endlich erscheint und die Knechte wieder in einen Besen verwandelt mit den Worten: „In die Ecke, — Besen, Besen! — seid's gewesen!"

Was will Goethe mit diesem Gedicht sagen? Doch wohl dieses: Es ist nicht schwer, die wilden Kräfte, die in der Natur und im Menschen verborgen sind, freizulassen. Aber nur der

Meister darf sie freilassen; denn er hat auch die Kraft, sie zu bändigen.

Der Mensch des 20. Jahrhunderts hat eine ungeheure Gewalt über die Kräfte der Natur gewonnen. Wird er sie zum Wohle der Menschen verwalten, oder wird er sich und alles Leben zerstören? Ist er Lehrling geblieben, oder ist er Meister geworden?

Wortschatz

allein' alone
auf-hören cease, stop
die Badewanne, –n (= das **Bad, –es, ⁎er** bath + die **Wanne, –n** tub) bathtub
bändigen tame, subdue, control
behan'deln treat
das Beil, –s, –e hatchet
der Besen, –s, — broom
bringen, brachte, gebracht bring
doch: — wohl presumably
drohen threaten, menace
die Ecke, –n corner
frei-lassen (läßt frei), ließ frei, freigelassen set free, release
die Gewalt', –en force, power
gewin'nen, gewann, gewonnen win
gießen, goß, gegossen pour
herbei'-bringen, brachte herbei, herbeigebracht bring on
hervor'-holen aus get (out) from, fetch from
der Hexenmeister, –s, — (= die **Hexe, –n** witch + der **Meister, –s, —** master) magician, sorcerer
hinaus'-strömen stream out
holen fetch, get
hören hear; **— auf** *acc.* listen to
immer: — wieder again and again
der Inhalt, –s, –e content
der Knecht, –es, –e servant
komponie'ren compose, set to music; der **Komponist', –en, –en** composer; die **Komposi-**

tion' (*pronounce* **—ziōn'**), **–en** composition
das Konzert', –s, –e concert
die Kunst, ⁎e art; trick
kurz short
laufen (läuft), lief, ist gelau'fen run
der Lehrling, –s, –e apprentice
mancher, manche, manches many a
der Meister, –s, — master
die Not, ⁎e distress
rufen, rief, geru'fen call; **—nach** call for
der Rundfunk, –s radio broadcast
das Thema, –s, Themen theme, subject matter
die Tür, –en door
über-laufen (läuft über), lief über, ist übergelaufen run over
überschwem'men submerge, inundate, flood
um ... zu in order to
ungeheuer immense
verber'gen (verbirgt), verbarg, verborgen conceal, hide
verwal'ten administer
die Verzweif'lung despair
voll full
woher' from where, whence
der Zauber, –s, — magic, witchcraft; der **Zauberlehrling, –s, –e** (= der **Zauber** + der **Lehrling**) sorcerer's apprentice
der Zweck, –es, –e purpose

Grammar

83. Subordinate (dependent) clauses are clauses which cannot stand by themselves but are combined with a principal (independent) clause. In German their word order is radically different. The inflected verb (which shows person, number, tense) does not stand in second but in last place ("subordinate or dependent or transposed word order"). It follows all the other verb forms which stand last also in the principal clause: infinitive, participle, separated prefix. A separable prefix is again combined with the verb.

Principal clause	*Principal*	*Subordinate*
Der Lehrling <u>holt</u> den Besen <u>hervor</u>.	Dies ist der Besen, den der Lehrling hervor<u>holt</u>. *This is the broom which the apprentice gets out.*	
Er <u>hat</u> den Besen geholt.	Dies ist der Besen, den er geholt <u>hat</u>.	

84. Subordinate clauses are introduced (*a*) by a relative pronoun or (*b*) by a subordinating conjunction or (*c*) by an interrogative.

For exact translation proceed in this order: (1) the introductory word, (2) the subject, which usually follows right after it, (3) the verb, all forms of which are at the end, (4) elements preceding the verb which belong together with it, (5) the skipped elements in the middle of the clause: Der Besen, [1] den [2] der Meister [3] am Morgen [4] in die Ecke [5] gestellt [6] hatte,... *The broom* [1] *which* [2] *the master* [6] *had* [5] *placed* [4] *in the corner* [3] *in the morning* ...

Subordinate clauses are separated from principal clauses by a comma or commas. The end of a subordinate clause is marked by a period, a comma, or a coordinating conjunction (**und, oder,** etc., § 91).

85. The most common *RELATIVE* pronoun is **der, die, das** *who, which (that)*. Its forms are the same as those of the demonstrative (§§ 40, 136). The position of the verb at the end of the clause shows that the pronoun is used as a relative:

> Das ist ein interessantes Buch, das <u>kann</u> ich immer wieder lesen (*demonstrative*). *That is an interesting book; I can read it (that one) again and again.*
>
> Das ist ein interessantes Buch, das ich immer wieder lesen <u>kann</u> (*relative*). *That is an interesting book, which I can read again and again.*

Note especially: after a comma, **dessen** and **deren** are translated by *whose* or *of which*, **denen** by *(to) whom, (to) which:*

> Der Dichter, dessen Gedicht wir lesen, ...   *The poet whose poem we are reading ...*
>
> Die Natur, mit deren Kräften der Mensch arbeitet, ...   *Nature, with the forces of which man works, ...*
>
> Seine Freunde, denen er Geld gegeben hat, ...   *His friends, (to) whom he has given money, ...*

86. The relative **welcher** *who, which* is used in more formal language. It is a **der**-word with the same declension as the interrogative **welcher** *which* (§ 39), but for the genitives, **dessen** and **deren** are substituted (§ 136).

87. With reference to things rather than to persons, the combination preposition + relative may be replaced by compounds with **wo(r)–** (§ 25):

> Die Prüfung, <u>wofür</u> (für die, für welche) ich so schwer gearbeitet habe, ...   *The exam for which I worked so hard ...*

88. Gender and number of a relative are determined by the word to which it refers. Its case depends on its function within the relative clause:

> Der Mann, der (*who*) heute hier war, ist mein Freund.
>
> Der Mann, dessen (*whose*) Tochter wir trafen, ist mein Freund.
>
> Der Mann, dem (*to whom*) ich das Buch gegeben habe, ist mein Freund.
>
> Der Mann, den (*whom*) ich gestern besuchte, ist mein Freund.
>
> Die Frau, die (deren, der, die) ...
>
> Die Menschen, die (deren, denen, die) ...

89. **Wer** and **was,** which are usually interrogatives (§ 41), are used as relatives when they do not refer specifically to one preceding word. **Wer** then means (*he*) *who, the one who, whoever;* **was** means *that which, (a thing) which, whatever, what:*

> Wer viel arbeitet, lernt etwas. *He who studies much, learns something.*
>
> Was du tun willst, tu bald! *What (That which) you want to do, do soon.*
>
> Er schrieb ein dickes Buch, was nicht jeder kann. *He wrote a big book, (a thing) which not everyone can do.*
>
> BUT: Er schrieb ein Buch, das leicht zu lesen war. *He wrote a book which was easy to read.* (*Which* refers to *book*, not to the whole clause.)

In addition **was** is the relative

(1) after neuter pronouns: **das, was** *that which;* **etwas, was** *something which;* **alles, was** *all that;* **nichts, was** *nothing that:*

Das ist alles, was ich weiß.   *That is all (that) I know;*

(2) after superlatives used as neuter nouns (§ 62): **das Beste, was** *the best that;* **das Schönste, was** *the most beautiful thing which;* **das Interessanteste, was** *the most interesting thing that,* etc.; also **das erste, was** *the first thing which:*

Das erste, was ich sah, war das Interessanteste, was ich je gesehen habe.   *The first thing (that) I saw was the most interesting thing (that) I have ever seen.*

90. Relative pronouns cannot be omitted in German as they can in English (see preceding example).

Übungen

A. Supply the proper form of the relative **der:**

1. Das Gedicht, — Goethe schrieb, hat Dukas komponiert. 2. Der Meister, — das Haus verlassen hatte, verstand die Kunst, — der Lehrling erst lernen sollte. 3. Dieser verwandelte den Besen, — er in der Ecke fand, in einen Knecht, — ihm Wasser holte. 4. Nur der Meister weiß das Wort, — die Knechte wieder in Besen verwandelt.

5. Die Freunde, mit — wir nach Deutschland fuhren, sind noch länger dort geblieben. 6. Die Stadt, *(whose)* Dom wir besuchten, heißt Mainz. 7. Der Freund, *(whose)* Geburtstag wir heute feiern, ist ein Professor der Mathematik. 8. Wie heißt der Dichter, — „Nathan der Weise" schrieb? 9. Die Herren, mit — wir sprachen, kommen aus England. 10. Die Familie, bei — Paul wohnt, ist sehr freundlich. 11. Der junge Krieger, mit — Hildebrand kämpfte, war sein Sohn. 12. Die Dichter, *(whose)* Bücher wir jetzt lesen, lebten im 19. Jahrhundert.

B. Supply the proper form of **welcher:**

1. Wir machen Ausflüge in die Umgebung, — sehr schön ist. 2. Die Stadt, in — wir leben, ist groß. 3. Sein Bruder fiel in demselben Jahre, in — seine Mutter starb. 4. Wer sind die Herren, — jetzt bei euch standen? 5. Die Schiffer sahen hinauf zu der Jungfrau, — auf dem Felsen saß.

C. Supply **wer** *or* **was** *and translate the sentences:*

1. — schön ist, ist nicht immer nützlich.   2. — er gesagt hat, ist wahr.   3. — immer sagt, — wahr ist, zu dem haben wir Vertrauen.   4. — mir erklären kann, — dieses Gedicht bedeutet, ist weiser als ich.   5. Er kaufte ein Haus, — sehr dumm war.

D. Answer in complete German sentences:

1. Woher hat der Komponist Dukas das Thema zum „Zauberlehrling" genommen?   2. Welchen Gegensatz behandelt Goethe in seinem Gedicht?

3. Warum kann der Lehrling einmal die Kunst seines Meisters versuchen?   4. Was holt er aus der Ecke?   5. In was verwandeln seine Worte den Besen?   6. Was soll der Knecht tun?

7. Was tut der Knecht am Flusse?   8. Wohin trägt er das Wasser?   9. Warum hört er nicht auf die Worte des Lehrlings?   10. Was tut der Lehrling in seiner Verzweiflung?

11. Was tun beide Teile des gespaltenen Knechtes?   12. Wohin fließt das Wasser, das sie bringen?   13. Wen ruft der Lehrling in seiner Not?   14. Wie macht der Meister dem Zauber ein Ende?

15. Was bedeutet das Gedicht?   16. Was für eine Gewalt hat der Mensch des 20. Jahrhunderts gewonnen?   17. Was ist die große Frage unserer Zeit?

E. Translate:

1. He who wants to be master over the forces of (the) nature must (**muß**) be wise.   2. Only he who has the power to tame the forces of (the) nature, has the right to set them free.   3. Those who are masters over themselves, may (**dürfen**) be masters over others.   4. Does (the) man wish to destroy that which centuries have created (**geschaffen**) and protected?   5. I am a friend of those (§ 40, *note 1*) who like to help others.

F. Read: Thomas Mann: „Tonio Kröger" (p. 166)

Siebzehnte Aufgabe

Goethe: „Faust"

Wir haben in der letzten Aufgabe über Goethes „Zauberlehrling"
gesprochen. Wir sahen, daß die Weisheit des Meisters darin lag,
daß er die Kräfte der Natur nicht nur freilassen, sondern auch
bändigen konnte. Wir fangen alle als Lehrlinge an; ob wir aber
je Meister werden, ist eine Frage, die wir vielleicht am Ende
unseres Lebens beantworten können.

Goethe stellt uns in seinem „Faust" vor die gleiche Frage, nur in
einer ernsteren und tieferen Bedeutung, wenn er Faust nach dem
Sinne des Lebens suchen läßt. Faust hat Jura, Medizin, Philosophie
und Theologie studiert; aber sein Studium hat ihn nicht be-
friedigt. In der Verzweiflung über den Sinn des Lebens findet
ihn Mephistopheles, der bereit ist, mit ihm einen Pakt zu schließen.
Er wird Faust dienen und alle seine Wünsche erfüllen. Aber
Faust soll seine Seele verlieren, wenn er aufhört zu streben und
wenn er zum Augenblicke sagt: „Verweile doch, du bist so schön!"
Mephistopheles hofft, daß er Faust mit den niedrigen Freuden des
Lebens befriedigen kann, so daß er nicht mehr nach dem Sinn des
Lebens sucht. Es gelingt Mephistopheles für einige Zeit, als Faust
sich in das unschuldige Gretchen verliebt, sie verführt und sie im
größten Unglück verläßt. Noch einmal gewinnt Mephistopheles
fast seinen Pakt in Fausts Alter, als Faust über das Land herrscht,
das er dem Meere abgewonnen hat. Trotz seines Reichtums und
seiner Macht will er einem alten Paar die Hütte auf einem Hügel
nehmen, da er von dort sein ganzes Land übersehen kann. Als
Mephistopheles aber die Alten aus der Hütte zu entfernen sucht,
finden sie den Tod.

Erst dann erkennt Faust, daß die Magie des Mephistopheles
ihn von neuem in schwere Schuld gestürzt hat. Er erkennt, daß
sein Leben nur Sinn gewinnen kann, wenn er auf alle Magie

verzichtet und Mensch unter Menschen wird.   Er will nun nicht
mehr nur für sich schaffen, sondern neues Land gewinnen für
Menschen, die frei sein sollen wie er.   In der Erwartung eines sol-
chen Glücks spricht er die Worte, die ihm nach dem Pakt die Seele
kosten sollen: „Verweile doch, du bist so schön!"   Er hat den Sinn
des Lebens in der Arbeit für andere gefunden.

Obwohl Faust die Worte gesprochen hat, die er nach dem
Pakte nie sprechen wollte, kann seine Seele nicht dem Mephistopheles gehören.   Denn er hat immer wieder nach dem Höchsten
gestrebt, und Mephistopheles ist es nicht gelungen, ihn mit den
niedrigen Freuden des Lebens zu befriedigen.

Faust ist ein Symbol für den Menschen, der sein ganzes Leben
nach dem Höchsten strebt.

Wortschatz

**ab-gewinnen, gewann ab, abge-
wonnen** (*with dat.*) win from,
wrest from
das Alter, –s, — age, old age
**an-fangen (fängt an), fing an,
angefangen** begin
beant'worten answer
die Bedeu'tung, –en meaning
befrie'digen satisfy
bereit' ready
darin ... daß in the fact that
dienen serve
durfte *past of* **dürfen** be allowed to
entfer'nen remove
erfül'len fulfill
erken'nen, erkannte, erkannt
recognize
ernst serious
die Erwar'tung, –en expectation
fast almost
die Freude, –n joy
gelin'gen, gelang, ist gelungen
succeed; **es gelingt mir** I succeed
herrschen rule, reign
die Hütte, –n hut
die Jura (*pl.*) law
kosten cost
lassen *here* make
die Magie' magic
die Medizin' medicine

neu: von neuem anew
niedrig low
der Pakt, –es, –e pact
die Philosophie', –n philosophy
der Reichtum, –s, –er riches,
wealth
rennen, rannte, ist gerannt run
schaffen, schuf, geschaffen create
die Schuld guilt
schwer heavy;   difficult,   hard;
here severe, serious
die Seele, –n soul
der Sinn, –es, –e sense;   meaning
stellen place
streben (nach) strive (for)
stürzen throw, plunge
das Symbōl, –s, –e symbol
die Theologie' theology
tief deep
**überse'hen (übersieht'), über-
sah', überse'hen** look over, survey
das Unglück, –s misfortune
unschuldig innocent
verfüh'ren mislead;   seduce
sich verlie'ben (in) fall in love
(with)
verwei'len stay, delay, tarry
verzich'ten auf + acc. renounce
der Wunsch, –es, –e wish, desire

Grammar

91. Conjunctions are connective words which link two words, phrases, or clauses.

COORDINATING CONJUNCTIONS do not affect the German word order. In principal clauses the verb stands in second place after them. In English the most important coordinating conjunctions are *and, or, but, for.*

und *and*	**aber** *but, however*
oder *or*	**sondern** *but (rather)*
denn *for*	

Ich muß gehen, <u>denn</u> ich <u>habe</u> viel zu tun. *I must go, for I have a great deal to do.*

Note. **Aber** at the beginning of a clause is translated *but* or *however.* Used within a clause it is translated *however.*

<u>Aber</u> er weiß nichts. *But he knows nothing.*
Er <u>aber</u> weiß nichts. *He however knows nothing.*

Sondern follows a negative with the meaning *but rather:*

Wir lernen nicht Spanisch, sondern Deutsch. *We are not studying Spanish but (rather) German.*

Allein (only at the beginning of a clause) also means *but* or *however* in literary language.

Correlative conjunctions are

entweder . . . oder *either . . . or*
weder . . . noch *neither . . . nor*

After **weder** and **noch** the verb stands in first place; after **entweder,** in first or second:

Weder weiß er es, noch kann er es lernen.
Entweder er tut es, oder er tut es nicht.
Entweder tut er es, oder er tut es nicht.

92. *SUBORDINATING CONJUNCTIONS* link dependent to principal clauses. They call for the end position of the German verb. The most common one is **daß** *that:* **Ich weiß, daß er Deutsch lernt.** *I know that he is studying German.* This conjunction may be omitted as in English, but then the verb stands in second place: **Ich weiß, er lernt Deutsch.** *I know he is studying German.*

Other subordinating conjunctions are:

als *when*	**indēm** (*by; while*)	**trotzdēm'** (*al*)*though*
bevōr' *before*	(see Note 5)	**während** *while; where-*
bis *until*	**nachdēm'** *after*	*as*
da *since*	**obgleich', obwohl'**	**weil** *because*
damit' *in order that,*	(*al*)*though*	**wenn** *if; when, when-*
so that	**seit(dēm')** *since*	*ever*
ehe *before*	**so daß** *so that*	

Ich muß gehen, <u>weil</u> ich viel zu tun <u>habe</u>. *I must go because I have a great deal to do.*

Notes. (1) **Da** means *since, as* in a causal sense (*for the reason that*); **seit(dem)** means *since* in a temporal sense (*since the time when*):

Ich verstehe es nicht gut, da ich wenig Deutsch kann.

Ich verstehe es besser, seit(dem) ich etwas Deutsch gelernt habe.

(2) **Als** used as a subordinating conjunction means *when* (not *as!*). It refers to a single event in the past (even when the tense used is the narrative present). For other tenses and for repeated actions in the past, **wenn** is used:

Als er kam, ging ich. *When he came, I left.*

Wenn er kam, ging ich. *Whenever he came, I left.*

Wenn er kommt, gehe ich. *When he comes, I'll leave.*

Notice that the subordinate clause standing first counts as the first element of the principal clause. The verb follows in second place (sometimes after a summarizing **so** *then:* Wenn er kommt, so gehe ich).

(3) **Wenn** also means *if.* The conclusion drawn from the condition is often introduced by **dann** or **so.** This **so** is translated *then* (not *so!*): Wenn er kommt, so (dann) gehe ich. *If (When, If and when) he comes, then I'll leave.*

(4) **Wenn ... auch** means *even if, even though:* Wenn er auch weiß, ... *Even though he knows ...*

(5) Render an **indem**-clause by an English verb in the *–ing* form with or without the addition of *by* or *while:*

Ich lerne Deutsch, indem ich jeden Tag meine Aufgabe gut mache.
I am learning German by doing my assignment well every day.

Indem er das sagte, ging er aus dem Zimmer. (*While*) *saying that, he went out of the room.*

93. All German *INTERROGATIVES* (question words) begin with **w.** In addition to **wer, was, was für ein, welch(er)** (§§ 39, 41–42) they are as follows:

wann *when (at what time)*	**wo** *where*
warum, weshalb *why*	**woher** *from where (whence)*
wie *how*	**wohin** *where(to) (whither, to what*
wieviel *how much, how many*	*place)*

and the compounds of **wo(r)-** with a preposition, like **wofür** *what for, for what,* **worin** *in what,* etc. (§ 25).

In indirect questions the verb stands last: Wie spät <u>ist</u> es? (*direct*). Er will wissen, wie spät es <u>ist</u> (*indirect*). Er hat mich gefragt, wann ich nach Hause <u>komme</u>. *He asked me when I was coming home.*

The indirect form of a question without an interrogative is introduced by **ob** *if* or *whether:* Haben Sie Zeit? (*direct*). Er fragt mich, ob ich Zeit <u>habe</u> (*indirect*).

Übungen

A. Supply the German coordinating conjunctions as indicated:

1. Der Lehrling hatte etwas von seinem Meister gelernt, (*however*) es war nicht genug.   2. Er verstand es, die Kräfte der Natur freizulassen, (*but*) nicht, sie zu bändigen.   3. Nicht der Lehrling, (*but*) der Meister bändigte die Kräfte.   4. Faust wird (*either*) immer streben (*or*) seine Seele verlieren.   5. (*Neither*) Faust (*nor*) Mephistopheles gewann den Pakt; (*for*) Faust hörte nicht auf zu streben, (*however*) er sagte zum Augenblick: „Verweile!"

B. Supply the German subordinating conjunctions as indicated:

1. (*Although*) Faust sehr viel studiert hat, weiß er noch nicht, (*whether*) das Leben einen Sinn hat.   2. (*When*) er in der größten Verzweiflung war, kam Mephistopheles zu ihm.   3. Dieser versprach, ihm zu helfen, (*if*) er es wünschte.   4. Er glaubte, (*that*) er Fausts Seele gewonnen hatte, (*when*) Faust Gretchen verließ.   5. (*After*) die Alten den Tod gefunden hatten, verzichtete Faust auf die Magie, kurz (*before*) er starb.   6. Er starb, (*because*) er die Worte des Paktes gesprochen hatte.   7. Aber er sprach sie, (*when*) er den Sinn des Lebens gefunden hatte, (*so that*) er seine Seele nicht verlor.

C. Connect the clauses by supplying subordinating conjunctions as indicated, adjusting punctuation and word order:

1. Ich möchte Sie fragen: (*whether*) Haben Sie den „Zauberlehrling" gehört?   2. Der Lehrling holt den Besen aus der Ecke.

(*in order that*) Er kann ihn verwandeln. 3. (*Before*) Der Meister kehrt zurück. Das Wasser läuft aus dem Hause. 4. Ich glaube nicht. (*that*) Die Menschen werden weiser. 5. Man fragt sich oft: (*whether*) Wünscht der Mensch, die Welt zu zerstören? 6. Die Menschen reden viel von Frieden. (*while*) Sie bekämpfen einander. 7. (*Whether*) Werden sie den Krieg gewinnen? Die Menschen fragen sich oft. (*while*) Wenige fragen sich. (*whether*) Können sie den Frieden gewinnen?

D. Answer in complete German sentences:

1. Warum konnten (*could*) wir den Meister im „Zauberlehrling" weise nennen (*call*)? 2. Wann kann man sagen, ob ein Mensch weise ist?

3. Was sucht Goethes Faust? 4. Was hat er studiert? 5. Mit wem schließt er einen Pakt? 6. Wann soll Faust seine Seele verlieren? 7. Was hofft Mephistopheles? 8. Wie behandelt Faust Gretchen? 9. Über was für ein Land herrscht Faust am Ende seines Lebens? 10. Warum will er die Hütte des alten Paares für sich? 11. Was hat die Magie des Mephistopheles erreicht? 12. Wie kann Fausts Leben Sinn gewinnen? 13. Für wen will Faust jetzt Land gewinnen? 14. Worin findet er den Sinn des Lebens? 15. Welche Worte bringen ihm den Tod? 16. Hat Faust in dem Augenblick, in dem er diese Worte spricht, aufgehört zu streben? 17. Warum gewinnt Mephistopheles den Pakt nicht? 18. Für welche Menschen ist Faust ein Symbol?

E. Translate:

1. (The) life cannot satisfy Faust, since he works only for himself. 2. When he stops (with) that, he will find a meaning. 3. Although Faust is very old he is still striving, but he renounces all magic. 4. When Faust lost his life, Mephistopheles had not won his soul.

F. Read: „Der Teufel und der Bau des Kölner Doms" (p. 167)

Achtzehnte Aufgabe

Mozarts Requiem

Es gibt eine Erzählung über Mozarts [1] letztes Werk, das Requiem,[2] die zeigt, wie dem wahren Künstler das Werk höher steht als selbst das Leben.

Wenige Monate vor seinem Tode fuhr ein Wagen vor dem Hause Mozarts vor. Ein fremder Herr stieg aus, der Mozart sprechen wollte. „Ich komme von einem sehr angesehenen Manne, dessen Namen ich nicht nennen darf," sagte der Fremde. „Nun, der Name ist nicht wichtig; sagen Sie mir, was ich für ihn tun kann!" antwortete Mozart. „Er möchte eine Totenmesse von Ihnen; er hat eine liebe Freundin verloren, für die er in jedem Jahre an ihrem Todestage eine Messe singen lassen will. Wenn Sie die Arbeit übernehmen wollen, müssen Sie es mit Liebe tun; denn Sie werden für einen Kenner arbeiten." „Ich will mein Bestes versuchen," sagte Mozart. „Gut, wann darf ich wiederkommen? Wieviel Zeit brauchen Sie für Ihre Arbeit?" „Eine Woche." „Und wieviel erwarten Sie für Ihre Arbeit?" „Hundert Gulden." „In vier Wochen komme ich wieder," sagte der Fremde, zahlte das Geld und ging fort.

Kaum hatte er das Haus verlassen, als Mozart anfing [3] zu schreiben. Obwohl er sehr krank war, durfte niemand ihn in seiner Arbeit stören. „Ich muß eilen," sagte er, „denn dies Werk soll noch vor meinem Tode fertig werden."

Nach vier Wochen kam der Fremde wieder. Aber Mozart mußte ihn bitten, weitere vier Wochen zu warten. Als der Fremde ihm noch einmal fünfzig Gulden zahlte, wollte Mozart den Namen des Mannes wissen, der die Messe bestellt hatte. Der Fremde aber wahrte sein Geheimnis.

[1] Wolfgang Amade'us Mozart, 1756–1791. [2] From Latin **Requiem aeternam dona ei(s), domine,** *Eternal rest give him (them), oh Lord.*
[3] **anfing** is in end position; **zu schreiben** counts as a separate infinitive clause.

Der letzte Tag dieser vier Wochen war gekommen, und Mozart las die Partitur seines Requiems, die er gerade beendet hatte. Es war die letzte Stunde seines kurzen, aber arbeitsreichen Lebens.

Der Fremde aber kam nicht wieder. Mozart hatte seine eigene Totenmesse schreiben dürfen. So hatte es sein Schicksal gewollt.

Wortschatz

angesehen respected, distinguished

arbeiten work; **arbeitsreich** full of work, spent in work

aus-steigen, stieg aus, ist ausgestiegen get out

been'den finish

bestel'len order

eilen hasten, hurry

erwar'ten await, expect

die Erzäh'lung, –en tale, story

fort-gehen, ging fort, ist fortgegangen go away

die Freundin, –nen (*female*) friend

geben: es gibt there is, there are

das Geheim'nis, –ses, –se secret

gera'de just

der Gulden, –s, — guilder (*former Austrian gold coin*)

kaum scarcely

der Kenner, –s, — connoisseur, expert

krank sick, ill

der Künstler, –s, — artist

lassen: eine Messe singen — have a Mass sung

die Liebe love

die Messe, –n Mass

nennen, nannte, genannt name, call, mention

die Partitur', –en (musical) score

stören disturb

der Todestag, –es, –e (= der **Tod, –es** death + der **Tag**) day of death, anniversary of death

die Totenmesse, –n Mass for the dead, Requiem Mass

unbekannt unknown, anonymous

vor-fahren (fährt vor), fuhr vor, ist vorgefahren drive up

der Wagen, –s, — carriage

wahren preserve, guard

weiter further

wenige few

wichtig important

wieder-kommen, kam wieder, ist wiedergekommen come back, return

zahlen pay

For modal auxiliaries see §§ 94–101.

Grammar

94. In addition to the tense auxiliaries **haben, sein,** and **werden** (§ 77) there are in English and German six modal auxiliaries (verbs helping to modify the meaning of the infinitives which usually accompany them). They are important because they occur very frequently, and they are difficult because most of these verbs are incomplete in English, lacking infinitives and other tense forms so that they must be translated by paraphrasing.

er **darf** *he may*	**dürfen** *be allowed (permitted) to*
er **kann** *he can*	**können** *be able to*
er **mag** *he likes to*	**mögen** *like to*
er **muß** *he must, has to*	**müssen** *have to*
er **soll** *he is (supposed) to*	**sollen** *be (supposed) to*
er **will** *he wants to*	**wollen** *want to*

95. These verbs are quite irregular. Note especially that the third person singular lacks the characteristic ending –**t**; compare the English cognates (formally related words) *he can, must, shall, will* without –*s* (there is no cognate for **darf**).

96. Present of modal auxiliaries:

ich darf *I may*	kann *can*	mag *like to*	muß *must*
du darfst	kannst	magst	mußt
er darf	kann	mag	muß
wir dürfen	können	mögen	müssen
ihr dürft	könnt	mögt	müßt
sie dürfen	können	mögen	müssen

soll *am to*	will *want to*
sollst	willst
soll	will
sollen	wollen
sollt	wollt
sollen	wollen

97. Principal parts of modals:

dürfen	durfte	gedurft	*be (was, been) allowed to*
können	konnte	gekonnt	*be (was, been) able to*
mögen	mochte	gemocht	*like (liked) to*
müssen	mußte	gemußt	*have (had) to*
sollen	sollte	gesollt	*be (was, been) supposed to*
wollen	wollte	gewollt	*want (wanted) to*

98. The regular past participle forms (§ 97) are used when no infinitive accompanies the auxiliary:

Ich habe es gedurft. *I have been allowed to (do it).*
Er hatte es gekonnt. *He had been able to (do it).*
Sie hatte es gemußt. *She had had to (do it).*

This includes cases of **mögen** and **wollen** used as full verbs, not as auxiliaries:

Sie hat Kaffee immer gern gemocht. *She has always liked coffee.*

Ich habe den Krieg nicht gewollt. *I (have not wanted) did not want the war.*

99. With an accompanying infinitive the participles of the modals have a form identical with their infinitive:

Ich habe (hatte) es tun <u>wollen</u>. *I have (had) <u>wanted</u> to do it.*

This "double infinitive" always stands last in the clause, contrary to other word order rules:

Er wird es nicht haben <u>tun können</u>. *He will not have (probably has not) been able to do it.*

Er erzählte, daß sie es nicht hatte <u>tun wollen</u>. *He reported that she had not wanted to do it.*

100. The double infinitive is also used with **helfen, hören, lassen, sehen:**

Wir haben ihn kommen <u>sehen</u>. *We have <u>seen</u> him come (coming).*

Er erzählte, daß er den Arzt hatte kommen <u>lassen</u>. *He related that he had <u>had</u> the doctor come (<u>sent</u> for the doctor).*

101. Remarks about the meanings of modals:

Mag can still have the cognate meaning *may* (probability): **Es mag sein** *It may be,* in conversation more commonly **Es kann sein**. **Mochte sein** is *was probably:* Er mochte fünfzig Jahre alt sein.

Kann also means *may* (permission) in conversational language: Kann ich noch eine Tasse Kaffee haben? *May I have another cup of coffee?*

Kann in connection with a skill means *know(s)* (*how to*): Ich kann Deutsch. Sie kann nicht schwimmen. Er kann nur essen und schlafen.

Darf with a negative (denial of permission) means *must not:* Du <u>darfst</u> das <u>nicht</u> tun. *You must not do that.*

COMPARE: Du mußt das nicht tun. *You do not have to do that.*

English *must* is usually only present tense. For the past tense **mußte** do not use *must*, but *had to.*

Since *shall* and *will* are usually not correct translations for **soll** and **will,** the student is advised to avoid them altogether:

Er will (wollte) kommen. *He wants (wanted) to come* (not *will come!*).
Er soll kommen. *He is (supposed) to come.*
Er soll krank sein. *He is supposed (said) to be sick.*

Note. Remember (§ 51) that the infinitive which accompanies modal auxiliaries does not take **zu**: Er darf (kann, mag, muß, soll, will) arbeiten. *He may (can, likes to, must, is supposed to, wants to) work,* also *He is allowed (able, compelled, willing) to work.*

Übungen

A. Read in the past:

1. Mozart weiß, daß er bald sterben muß. 2. Ein Fremder will ihn sprechen. 3. Er darf seinen Namen nicht nennen. 4. Was kann Mozart für ihn tun? 5. Mozart will die Arbeit übernehmen. 6. Niemand darf ihn bei der Arbeit stören. 7. Sie soll in wenigen Wochen fertig werden. 8. Er mag nicht aufhören.

B. Read in the present perfect:

1. Konnte der Fremde sein Geheimnis wahren? 2. Konnte Mozart die Messe vor seinem Tode beenden? 3. Der Fremde läßt Mozart eine Totenmesse schreiben. 4. Er will ihm dafür viel Geld geben.

5. Faust wollte den Sinn des Lebens finden. 6. Er mußte Mephistopheles seine Seele versprechen. 7. Faust durfte nicht zum Augenblick sagen: „Verweile!" 8. Er mußte immer weiter streben. 9. Durfte Mephistopheles Fausts Seele nehmen? 10. Half euch jemand arbeiten? 11. Seht ihr den Knecht mit dem Wasser kommen? 12. Goethe läßt seinen Faust nach dem Sinn des Lebens suchen.

C. State the dependent clauses in the present perfect:

1. Ich glaube, daß er nicht kommen konnte. 2. Er sagt, daß er das Geschenk nicht annehmen durfte. 3. Glauben Sie, daß sie das nicht wissen konnten? 4. Das Gedicht erzählt, daß Hildebrand mit seinem eignen Sohn kämpfen mußte. 5. Er entschuldigte sich, daß er uns nicht helfen konnte.

*D. Supply the infinitive with or without **zu** as required:*

1. Wir leben nicht, um (essen), sondern wir essen, um (leben). 2. Er will nicht mehr lange auf uns (warten). 3. Er hofft, sehr bald nach Hause (zurückkehren). 4. Es ist besser, nicht zu viel (versprechen). 5. Wir werden Ihnen die ganze Geschichte (erzählen müssen).

August-Thyssen-Hütte A. G.,
Duisburg

West-Berlin:
Verkehr auf dem Kurfürstendamm

Mainz:
Blick über den Rhein auf den Dom

Altes und Neues
Kölner Dom und Eisenbahn

Erntezeit

Arbeit im Weinberg am Rhein bei Boppard

E. Answer in complete German sentences:

1. Wie heißt Mozarts letztes Werk? 2. Wer kam kurz vor dem Tode zu ihm? 3. Von wem kam der Fremde? 4. Was wollte er von Mozart? 5. Wann wollte der Unbekannte die Messe singen lassen? 6. In wieviel Wochen versuchte Mozart, die Messe zu schreiben? 7. Wieviel Geld wollte er für seine Arbeit?

8. Wann begann Mozart die Komposition des Requiems? 9. Warum glaubte er, eilen zu müssen?

10. War Mozart mit der Komposition fertig, als der Fremde wieder zu ihm kam? 11. Wann glaubte er, fertig zu werden? 12. Wann beendete Mozart die Partitur seines Requiems? 13. Wie alt wurde Mozart? 14. Für wen hatte er die Totenmesse wirklich geschrieben?

F. Translate:

1. Mozart is said to have written his "Requiem" for a distinguished stranger. 2. He had to hasten, if he wanted to finish his work. 3. You are compelled to do this work. 4. You must not go out of the house on such a day.

G. Read: Schiller: „Maria Stuart" (p. 168)

Neunzehnte Aufgabe

Impersonal and Irregular Weak Verbs

Beethoven

„Mensch sein, heißt ein Kämpfer sein." Als Goethe diese Worte niederschrieb, dachte er nicht so sehr an die Kriege, die die Menschen durch die Jahrhunderte miteinander geführt haben. Er dachte vielmehr an die Kämpfe, die der Mensch mit sich selber führen muß, um im höchsten Sinne Mensch zu werden.

Diese Worte lassen sich[1] in besonderem Maße auf einen der größten deutschen Komponisten, Ludwig van[2] Beethoven (1770–1827), anwenden.[1] Was Beethoven vor den meisten Menschen auszeichnete, war seine ungeheure Fähigkeit der Konzentration. Wenn er einen musikalischen Gedanken hatte, kannte er seine besten Freunde nicht mehr, und er ruhte nicht, bis er diesen Gedanken zur Ausführung gebracht hatte.

Bevor er sein dreißigstes Lebensjahr erreicht hatte, kannte ihn schon halb Europa wegen seiner Klavierkompositionen. Man nannte seinen Namen mit der gleichen Achtung wie die Namen von Mozart und Haydn. Von den ersten Jahren des 19. Jahrhunderts an führte man seine Werke in Deutschland, der Schweiz, England und Frankreich auf. Da er ein anerkannter Komponist und Virtuose war, gelang es ihm, Aufnahme in der Wiener Hofgesellschaft zu finden. Obwohl er wußte, daß man ihn nur wegen seiner Musik in der Gesellschaft duldete, gefiel es ihm in dieser Gesellschaft.

Um dieselbe Zeit aber erkannte er, daß sein Gehör zu versagen begann. In dem sogenannten Heiligenstädter[3] Testament vom Jahre 1802 beschrieb er die Tragödie, deren Held er fünfundzwanzig Jahre lang, bis zu seinem Tode, sein sollte. Er, der nur

---

[1] **lassen sich . . . anwenden** *can be applied, are applicable.*   [2] **van** is the Dutch form of German **von,** but does not mean nobility. Beethoven's family was of Dutch descent.   [3] Named after Heiligenstadt, the suburb of Vienna where Beethoven was living.

im Reiche der Töne lebte, verbrachte den Rest seines Lebens in
Taubheit. Er, der Liebling der Gesellschaft, zog sich schließlich
von den Menschen zurück, um seine Taubheit zu verbergen.
„Es fehlte wenig," so schrieb er, „und ich endete selbst mein
Leben. Nur sie, die Kunst, hielt mich zurück." Das Tragischste
ist wohl, daß die Intensität seines Schaffens zum Teil die Ursache
seiner Taubheit war.

Die Taubheit hat, wie es scheint, Beethovens Willen zum
Schaffen nur verstärkt. Denn erst nach 1802 entstanden die Sym-
phonien, die seinen Namen unsterblich gemacht haben. Die letzte
davon, die Neunte Symphonie, schließt mit dem Hymnus eines
Menschen, dem die Verzweiflung sich in Freude und Menschen-
liebe wandte. Wenn das Orchester sich mit den Stimmen des
Chors zu Schillers „Lied an die Freude" verbindet, ist es der
Triumph eines Menschen, der als Sieger aus dem Kampfe mit dem
Schicksal hervorgegangen ist.

Wortschatz

die **Achtung** respect
**an-erkennen, erkannte an, an-
erkannt** recognize
**an-wenden, wandte an, ange-
wandt (auf + acc.)** apply (to)
auf-führen perform
die **Aufnahme, –n** reception;
— **finden** be received
die **Ausführung, –en** carrying
out, execution; **zur — bringen**
work out
aus-zeichnen distinguish
**beschrei'ben, beschrieb, be-
schrieben** describe
beson'der– special
der **Chor, –es, ⸗e** choir, chorus
dulden suffer, tolerate
enden end, finish
**entste'hen, entstand, ist ent-
standen** originate, grow
die **Fähigkeit, –en** ability, capability
fehlen be absent, be wanting, lack
(sich) fühlen feel
führen lead; **Krieg —** wage war

**gefal'len (gefällt), gefiel, gefal-
len** please
das **Gehör', –s** hearing
die **Gesell'schaft, –en** society
der **Held, –en, –en** hero
**hervor'-gehen, ging hervor, ist
hervorgegangen** come out of,
result
die **Hof'gesell'schaft, –en** (= der
Hof, –es, ⸗e court + die **Gesellschaft**) court society
der **Hymnus, —, Hymnen** hymn,
song of praise
die **Intensität'** intensity
der **Kämpfer, –s, —** fighter
die **Klavier'komposition'** (*pronounce* –ziōn) composition for
piano
die **Konzentration'** (*pronounce*
–ziōn) concentration
das **Lebensjahr, –es, –e** (= das
Leben + das **Jahr**) year of life
das **Leid, –es** suffering
der **Liebling, –s, –e** favorite
das **Maß, –es, –e** measure; **in**

besonderem Maße to a particular degree
die **Menschenliebe** (= der **Mensch** + die **Liebe**) love of mankind
miteinan'der with one another
die **Musīk'** music
musika'lisch musical
nieder-schreiben, schrieb nieder, niedergeschrieben write down
das **Orche'ster,** (*pronounce* -k-) -s, — orchestra
der **Rest,** -es, -e rest, remainder
ruhen rest
das **Schaffen,** -s creative work
schließlich finally
sogenannt so-called
die **Stimme,** -n voice
die **Symphonie',** -n symphony
taub deaf; die **Taubheit** deafness

der **Teil** part; **zum** — partly
das **Testament',** -s, -e last will, testament
der **Ton,** -es, ⁻e tone
die **Tragö'diě,** -n tragedy
der **Triumph',** -s, -e triumph
unsterb'lich immortal
(sich) **verbin'den, verband, verbunden** join, unite
verbrin'gen, verbrachte, verbracht pass, spend
versa'gen fail
verstär'ken reinforce, strengthen
vielmehr' rather
der **Virtuo'se,** -n, -n virtuoso
der **Wiener,** -s, — Viennese; *adj.* Viennese
der **Wille,** -ns will
zurück'-halten (hält zurück), hielt zurück, zurückgehalten hold back

Grammar

102. The verb **wissen, wußte, gewußt** *know* has an irregular present similar to the modals:

ich **weiß**	wir **wissen**
du **weißt**	ihr **wißt**
er **weiß**	sie **wissen**

103. Eight weak verbs (and their compounds: e.g. **erkennen** *recognize*) change the vowel in the principal parts:

brennen	brannte	gebrannt	*burn*
kennen	kannte	gekannt	*know*
nennen	nannte	genannt	*name*
rennen	rannte	gerannt	*run, race*
senden	sandte	gesandt	*send*
wenden	wandte	gewandt	*turn*
bringen	brachte	gebracht	*bring*
denken	dachte	gedacht	*think*

Notes. (1) For the consonant change in the last two verbs compare the spelling of *brou_gh_t* and *thou_gh_t*.

(2) **Senden** and **wenden** can also have regular forms: **sendete, gesendet** and **wendete, gewendet.**

(3) The auxiliary of all these verbs except **rennen** is **haben: es hat gebrannt,** but **er ist gerannt.** In compounds the auxiliary is not necessarily the same; it depends on the meaning of the verb (§ 78, note 3).

(4) **Kennen** means *know, be acquainted with.* **Wissen** (§ 102) means *know* as a fact: Ich kenne ihn gut und weiß, daß er ein guter Mensch ist. *I know him well and know that he is a good person.*

104. *IMPERSONAL VERBS* are verbs which cannot have a person as a subject. Verbs like **es regnet** *it is raining* are impersonal in German as in English. German has other impersonal verbs which are expressed with a personal subject in English:

es geht mir gut *I am well (it goes well with me)*
es freut mich *I am glad (it makes me glad)*
es gefällt mir *I like it (it pleases me)*
es gelingt mir *I succeed (it is successful for me)*
es tut mir leid *I am sorry (it does me harm, it grieves me)*
es wundert mich *I am surprised (it makes me wonder)*

Notes. (1) In **es geht mir gut (schlecht)** the subject is always **es.** The other verbs can have a different impersonal subject:

Die Sache freut mich (gefällt mir, tut mir leid, wundert mich). *I am glad (pleased, sorry, surprised) about the matter.*
Dieser Versuch ist mir gelungen. *I have succeeded in this attempt (with this experiment).*

(2) A personal subject is possible with **leid tun:** Er tut mir leid. *I feel sorry for him.*

(3) **Es brennt.** *There is a fire.* (Vague impersonal subject **es.**)
    Es fehlt wenig. *Little is wanting.* (Preliminary subject **es;** real subject **wenig.**)

105. Es gibt + *acc.* means *there is, there are (in existence).* **Es ist** *there is* and **es sind** *there are* make more restricted statements:

Es gibt viele Menschen, die das nicht verstehen können. *There are many people (in existence) who cannot understand that.*
Es sind Studenten in dieser Klasse, die das nicht verstehen. *There are students in this class who do not understand that.*
Es gibt keine Schlangen in Irland. *There are no snakes (in existence) in Ireland.*
Es sind Schlangen im zoologischen Garten. (Im zoologischen Garten sind Schlangen.[1]) *There are snakes in the zoo.*

[1] Without preliminary subject **es.**

Übungen

A. Read in the past:

1. Wenn Beethoven an seine Musik denkt, vergißt er alles andere.
2. Dann erkennt er seine eigenen Freunde nicht. 3. Er rennt durch die Straßen, ohne zu wissen, wohin. 4. Ein fremder Herr wendet sich an Mozart wegen einer Totenmesse. 5. Ein Unbekannter sendet ihn. 6. Mozart weiß, daß er bald sterben muß. 7. Deshalb bringt er das Werk schnell zu Ende. 8. Als wir uns wenden, um nach Hause zu gehen, brennt es in der Nähe unseres Hauses. 9. Es tut uns wegen unserer Nachbarn leid.

B. Read the sentences, using the present perfect in the principal clauses:

1. Es gelang uns, einen guten Platz zu finden. 2. Es gefällt uns dort sehr gut. 3. Wir freuten uns, diesen freundlichen Menschen helfen zu dürfen. 4. Es tat uns sehr leid, daß es bei ihnen brannte.

5. Beethoven wußte, daß er sein Gehör verlor. 6. Er erkannte es sehr früh. 7. Es gelang den Ärzten (*physicians*) nicht, ihm zu helfen. 8. Er verbrachte den Rest seines Lebens in Taubheit. 9. Schon um 1800 kannte ihn ganz Europa und nannte seinen Namen mit großer Achtung. 10. Der Wiener Hof erkannte ihn als Komponisten und Virtuosen an.

11. Unsere alten Freunde sandten ihren Sohn nach Freiburg. 12. Dort verbringt er ein Jahr auf der Universität.

C. Supply the proper forms of **kennen, können** *or* **wissen:**

1. Wir — ihn schon seit zehn Jahren. 2. Wir —, daß er ein guter Mensch ist. 3. Er — gut Deutsch (sprechen). 4. Ich —, was dieser Mensch —. 5. Ein Philosoph hat gesagt: Ich —, daß ich nichts —. 6. Faust sagt in seiner Verzweiflung: Ich —, daß wir nichts — können.

D. Answer in complete German sentences:

1. Woran dachte Goethe, als er schrieb, daß der Mensch ein Kämpfer sein muß?

2. Wann lebte Beethoven? 3. Wodurch zeichnete sich Beethoven vor andern Menschen aus? 4. Wie behandelte Beethoven seine Freunde, wenn er einen musikalischen Gedanken hatte?

5. Was hatte Beethoven mit dreißig Jahren erreicht? 6. Welche anderen großen Komponisten lebten zu seiner Zeit? 7. Wo führte man Beethovens Werke im Anfang des 19. Jahrhunderts auf? 8. In welcher Gesellschaft fand Beethoven Aufnahme? 9. Warum fand er diese freundliche Aufnahme?

10. Was für eine Tragödie beschreibt Beethoven im Heiligenstädter Testament? 11. Warum war seine Taubheit so tragisch für ihn? 12. Warum endete er sein Leben nicht? 13. Blieb Beethovens Wille zu komponieren derselbe, als er taub wurde? 14. Welche Werke schrieb er, als er schon taub war? 15. Wie schließt seine Neunte Symphonie?

E. Translate:

1. Do you know at least that you know almost nothing? 2. He turned (himself) to (**an**) his neighbor who had promised to help him. 3. He succeeded in winning the respect of many. 4. There are (**sind**) few people like him in this city. 5. I am surprised myself that all is going so well.

F. Read: Kant: „Zum ewigen Frieden" (p. 169)

Schiller: „Frei ist der Mensch"

„Frei ist der Mensch, und würd' er [1] in Ketten geboren," sagt
Schiller (1759–1805). Er durfte es sagen, weil er für die Freiheit,
die anderen ohne Kampf geschenkt wird, gekämpft und gelitten
hat. Er war der Sohn kleinbürgerlicher Eltern, die kein Geld
hatten, ihn studieren zu lassen. So wurde er mit [2] dreizehn Jahren
in die Militärschule des Herzogs von Württemberg [3] geschickt.
Sieben Jahre wurde er in dieser Schule, fern von Verwandten und
Freunden, auf den Beruf eines Chirurgen vorbereitet. Der junge
Arzt schrieb im Jahre 1781 sein erstes Drama, das den Titel
„Die Räuber" trägt. Es wurde in Mannheim aufgeführt, aber
dem Dichter wurde vom Herzog verboten, die Aufführung zu
besuchen. Als Schiller trotzdem nach Mannheim fuhr, wurde er
mit Hausarrest bestraft. Auch wurde ihm verboten, weitere
Dramen zu schreiben.

Schiller zog das freie Leben der sicheren Stellung eines Arztes
im Dienste des Herzogs vor und floh aus Württemberg. Nachdem
er einige Jahre bei Freunden gelebt und sich durch Dramen und
Gedichte bekannt gemacht hatte, wurde er im Jahre 1789 durch
Goethes Einfluß als Professor der Geschichte nach Jena gerufen.
Hier schrieb er geschichtliche und philosophische Abhandlungen
sowie die großen Dramen, denen er seinen Ruhm als einer der
größten deutschen Dichter verdankt. Aber mitten in seiner Arbeit wurde er von einer Lungenkrankheit befallen, durch die sein
früher Tod herbeigeführt wurde.

In Ketten war er geboren, in Ketten hat er wertvolle Jahre
seines kurzen Lebens verbracht, und in den Ketten schwerer
Krankheit ist er gestorben. Aber dennoch war er ein freier

---

[1] **und würde er** *even if he were* (subjunctive).   [2] *at the age of.*   [3] South-
western state, now part of Württemberg-Baden; capital Stuttgart.

Mensch; denn trotz dieser Ketten, vielleicht auch wegen derselben, ist er ein Dichter der Freiheit wie kaum ein anderer geworden. Seine Maria Stuart erlangt die wahre Freiheit, als sie von der Königin Elisabeth gefangen gehalten und zum Tode verurteilt wird. In der „Jungfrau von Orleans" wird Frankreich von der Herrschaft der Engländer befreit. Im „Wilhelm Tell" feiert Schiller den Freiheitswillen eines Volkes.

Schiller lebte in einer Zeit des Despotismus, zu einer Zeit, wo deutsche Untertanen als Soldaten nach England zum Kriege gegen Amerika verkauft wurden, damit die Fürsten in Luxus und Verschwendung leben konnten. Schiller kämpfte in seinen Dramen für die Freiheit aller Menschen; denn er erkannte, daß die Freiheit allein dem Menschen moralische Würde geben kann.

Wortschatz

die **Abhandlung, –en** treatise
der **Arzt, –es, ⸚e** physician
die **Aufführung, –en** performance
befal'len (befällt), befiel, befallen seize (*of illness*)
der **Beruf', –s, –e** calling, profession
bestra'fen punish
der **Chirurg', –en, –en** surgeon
dennoch yet, nevertheless
der **Despotis'mus, —** despotism
der **Dienst, –es, –e** service
das **Drama, –s, Dramen** drama
erlan'gen obtain
fern far, distant
die **Freiheit, –en** freedom, liberty; der **Freiheitswille, –ns** will to be free
der **Fürst, –en, –en** prince, ruler
gefan'gen halten keep in prison
der **Haus'arrest', –s** confinement to one's house, house arrest
herbei'-führen bring about
der **Herzog, –s, ⸚e** duke
die **Kette, –n** chain
kleinbürgerlich lower middle class
leiden, litt, gelitten suffer, endure

die **Lungenkrankheit** (= die **Lunge, –n** lung + die **Krankheit, –en** sickness) lung disease
der **Luxus, —** luxury
die **Militär'schule, –n** military academy
mit-geben (gibt mit), gab mit, mitgegeben give along
mitten in in the middle of
nutzlos useless
philosō'phisch philosophical
der **Ruhm, –es** glory, fame
schenken give as a present
schicken send
sicher secure, safe
der **Soldat', –en, –en** soldier
sowie' as well as
die **Stellung, –en** position
sterben (stirbt), starb, ist gestorben die
der **Titel, –s, —** title
der **Untertan, –s** *or* **–en, –en** subject
verbie'ten, verbot, verboten + *dat. of person* forbid
verdan'ken owe
verkau'fen sell
die **Verschwen'dung** wastefulness, dissipation

verur'teilen condemn; **zum Tode**
— sentence to death
der **Verwand'te, –n, –n** (*adj. infl.*)
relative
vor-bereiten prepare

vor-ziehen, zog vor, vorgezogen
prefer
wertvoll valuable
die **Würde, –n** dignity

Grammar

106. The *PASSIVE VOICE* is formed as in English, but the auxiliary is **werden** instead of *to be* (conjugation § 146).

PRESENT	er wird gerufen	*he is (being) called*
PAST	er wurde gerufen	*he was (being) called*
PRES. PERF.	er ist gerufen worden	*he has been called*
PAST PERF.	er war gerufen worden	*he had been called*
FUTURE	er wird gerufen werden	*he will be called*
FUT. PERF.	er wird gerufen worden sein	*he will have been called*

Notes. (1) The passive past participle of the auxiliary has the form **worden,** whereas the full verb **werden** *become* has the participle **geworden.** Thus **ist (war) ... worden** means *has (had) been,* whereas **ist (war) ... geworden** means *has (had) become.*

(2) Since **werden** (present forms only) is also the auxiliary for the future tense, the future and future perfect of the passive require two forms of **werden,** one for future and one for passive: er wird gerufen werden.

(3) Thus **werden** has three functions:

(a) with adjective or noun: *become.* Er wird krank. Er wird Arzt.

(b) with infinitive: *shall, will.* Er wird bald rufen. *He will call soon.*

(c) with past participle: *be* (passive). Er wird jetzt gerufen. *He is (being) called now.* Hier wird Deutsch gesprochen. *German is spoken here.*

Watch especially **wird** with the past participle (c). **Wird** in this construction means neither *becomes* nor *will* but *is, is being.* *Will be* is **wird ... werden** (passive) or **wird ... sein** (active).

107. With the passive voice, **von** means *by,* **durch** means *by (means of):*

Er wurde vom Herzog bestraft. *He was punished by the duke.*
Sein Tod wurde durch eine Krankheit herbeigeführt. *His death was brought about by a disease.*

108. The indirect object remains in the dative: **Geld wurde ihm von seinen Freunden gegeben.** *Money was given (to) him by his friends,* or *He was given money by his friends.* German has two other ways of stating the same idea: **Ihm wurde von seinen Freunden Geld gegeben** (inversion) and **Es wurde ihm von seinen Freunden Geld gegeben** (**es** is a preliminary subject; the real subject is **Geld**).

109. Since some verbs take the dative (§ 38), *He was helped by his friends* is **Es wurde ihm von seinen Freunden geholfen** (with a merely formal subject **es**) or **Ihm wurde von seinen Freunden geholfen** (no subject at all). To find suitable English meanings for passive German sentences without a subject, make an English subject out of the idea of the participle and translate the latter by a vague verb like *made, done, given;* then adjust for better style: **Um Antwort wird gebeten.** *A request is made for an answer,* or *Please reply, R.S.V.P.*

110. German does not use the passive as often as English does. Some active German constructions correspond to English passives:

(1) **Man sagt.** (*One says.*) *It is said (by people).*

(2) **Das Schicksal Deutschlands erklärt sich aus seiner Lage.** *The fate of Germany (explains itself) is explained, can be explained (from) by her location.*

(3) **... ist ... zu** + infinitive (or other forms of **sein**) has three translations to choose from:

(*a*) *is to be* + past participle: **Es ist nun zu fürchten.** *It is to be feared now.* **Was ist zu tun?** *What is to be done?*

(*b*) *can be* + past participle: **Es ist nicht zu verstehen.** *It cannot be understood.*

(*c*) *is...-ble:* **Es ist nicht zu verstehen.** *It is not understandable (is unintelligible).*

(4) **... läßt sich** + infinitive (or other forms of **lassen**) with an impersonal subject has the same translations as 3 *b* and *c:* **Seine Handschrift läßt sich nicht (= ist nicht zu) lesen.** *His handwriting cannot be read (is unreadable, illegible).* **Dies ließ sich nicht leicht (= war nicht leicht zu) übersetzen.** *This could not be translated easily (was not easily translatable).* **Das läßt sich nicht ändern.** (= **Das ist nicht zu ändern.**) *That cannot be changed (helped).*

111. Sometimes an apparent passive with **sein** occurs: **Die Tür ist geschlossen.** *The door is closed.* This construction, however, describes a condition resulting from an action, and the participle has really the function of an adjective: "The door is in a closed condition." The action preceding this situation is expressed by the regular passive:

> Die Tür wird geschlossen. *The door is (being) closed.*
>
> Als ich zu dem Büro kam, war die Tür schon geschlossen; sie wurde jeden Tag um 5 Uhr geschlossen.

Übungen

A. Read in the present perfect:

1. Schiller wurde im Jahre 1759 geboren.   2. Er wurde in eine Militärschule geschickt.   3. Seine ersten Dramen wurden in Mannheim aufgeführt.   4. Er wurde vom Herzog bestraft.   5. Ihm wurde verboten, weitere Dramen zu schreiben.   6. Er wurde von seinen Freunden gut empfangen.

7. Beethovens Name wurde früh in ganz Europa genannt. 8. Seine Kompositionen wurden an allen großen Höfen aufgeführt.   9. Er wurde von Taubheit befallen.   10. Mozart wurde von einem Unbekannten besucht und gebeten, eine Totenmesse zu schreiben.   11. Diese wurde am letzten Tage seines Lebens beendet.   12. Faust wurde von Mephistopheles verführt.   13. Dies Lied wurde vor mehr als tausend Jahren aufgeschrieben.

B. State in the future:

1. Wir werden von ihnen erwartet.   2. Faust ist nie befriedigt worden.   3. Gretchen wurde von Faust verlassen und zum Tode verurteilt.

C. State in the future perfect, then translate:

1. Faust und Mephistopheles werden am Hofe des Kaisers gut empfangen.   2. Die Worte des Paktes werden von Faust gesprochen.   3. Der Besen wurde vom Lehrling in einen Knecht verwandelt.

D. Read in the corresponding tenses of the passive voice (transform in English first):

> *Example:* Der Knecht holte Wasser. Wasser wurde von dem Knecht geholt.

1. Hitler hat Deutschland in das größte Unglück gestürzt.   2. Die Reformation spaltete Deutschland in zwei Teile.[1]   3. Österreich

---

[1] Use **durch** instead of **von**.

hat die Führung Deutschlands nie wiedergewonnen, nachdem Napoleon es besiegt hatte. 4. Fröhliche Menschen werden immer wieder traurige Lieder singen. 5. Das Pferd wünschte einen längeren Hals und eine breitere Brust. 6. Seine Eltern hatten ihm verboten, das Haus zu verlassen.

E. Render in English:

1. Man hat den Studenten oft verboten, in der Klasse zu rauchen. 2. Das läßt sich leicht machen. 3. Dieses Drama ist schwer aufzuführen. 4. Das ist schwer zu glauben. 5. Man kann sich nichts Besseres wünschen.

F. Answer in complete German sentences:

1. Wann lebte Schiller? 2. Warum durfte er sagen, daß der Mensch frei ist? 3. Warum wurde er auf die Militärschule geschickt? 4. Auf welchen Beruf bereitete er sich dort vor? 5. Wann schrieb er sein erstes Drama? 6. Durfte er die Aufführung dieses Dramas besuchen? 7. Was geschah (*happened*), als er es dennoch tat?

8. Was tat Schiller, um frei zu bleiben? 9. Wann wurde Schiller nach Jena gerufen? 10. Was für Werke schrieb er in Jena? 11. Woran starb Schiller? 12. Wann erlangt Maria Stuart die wahre Freiheit? 13. Wovon wird Frankreich befreit? 14. Was feiert Schiller im „Wilhelm Tell"?

15. In was für einer Zeit lebte Schiller? 16. Warum kämpfte er für politische Freiheit?

G. Translate, preferably by using substitutes for the passive voice:

1. Beethoven had been requested to play at (the) Court. 2. That can hardly be explained. 3. Such an action [1] can hardly be excused. 4. This poem cannot be translated.[2]

H. Read: „Die Legende von der dritten Taube" (p. 170)

[1] **die Handlung.**   [2] **überset'zen.**

REVIEW EXERCISES
lessons 16–20

A. *Supply the proper forms of the relative pronoun:*

1. Der Lehrling, (*whose*) Meister fortgegangen war, versuchte seine Kunst ohne Erfolg. 2. Faust schloß mit Mephistopheles einen Pakt, — er zu gewinnen hoffte. 3. Mozart schrieb ein Requiem, — heute noch gesungen wird. 4. Die Symphonien, durch — Beethoven in der ganzen Welt bekannt geworden ist, entstanden während seiner Taubheit. 5. Schiller hatte gute Freunde, zu — er fliehen konnte.

B. *Connect the following sentences by supplying subordinating conjunctions, adjusting the word order:*

1. (*Although*) Wir haben sehr wenig Zeit. Wir werden mit euch in die Stadt gehen. 2. Mozart starb. (*after*) Er hatte sein Requiem beendet. 3. (*When*) Schiller kehrte aus Mannheim zurück. Er wurde bestraft. 4. Er floh. (*because*) Der Herzog hatte ihm verbieten wollen, Dramen zu schreiben. 5. Beethoven hatte seinem Leben ein Ende machen wollen. (*since*) Die Taubheit brachte ihn zur Verzweiflung. 6. (*Whenever*) Er dachte an die Musik. Er vergaß alles andere.

C. *State in the present perfect:*

1. Es gelang Mozart, sein Requiem vor dem Tode zu beenden. 2. Schon früh nennt man seinen Namen mit großer Achtung. 3. Er denkt immer nur an sich. 4. Den letzten Wunsch der Frau konnte der arme Mann nicht erfüllen.

D. *Transform into the passive voice (first in English), preserving the tense:*

1. Faust hat Gretchen in ihrem Unglück verlassen. 2. Zwei Mönche schrieben das Hildebrandslied auf. 3. Man rief Schiller an die Universität Jena (*omit* man). 4. Meine Freunde haben ihnen geholfen.

E. *Translate:*

1. Das läßt sich schwer erklären. 2. Man kann diesem Manne nicht helfen. 3. Diese Geschichte ist kaum zu glauben.

F. Vocabulary Building. *(a) Analyze and give the meanings of the following feminine derivatives from adjectives:*

Example: die Güte *from* gut, *good* : *goodness*

1. Größe   2. Breite   3. Länge   4. Höhe   5. Kürze   6. Tiefe
7. Ferne   8. Stärke

(b) Do the same with the following abstract feminine nouns in **–heit:**

Example: die Schönheit *from* schön, *beautiful* : *beauty*

1. Wahrheit   2. Dummheit   3. Taubheit   4. Freiheit   5. Offenheit   6. Sicherheit   7. Krankheit   8. Neuheit   9. Mehrheit
10. Gleichheit

(c) Do the same with abstract feminine nouns in **–keit:**

Example: die Förmlichkeit *from* förmlich, *formal* : *formality*

1. Wirklichkeit   2. Herzlichkeit   3. Natürlichkeit   4. Tapferkeit   5. Freundlichkeit   6. Gemütlichkeit   7. Häßlichkeit
8. Heiligkeit   9. Unsterblichkeit   10. Wichtigkeit

(d) Analyze the following diminutives in **–chen** *and* **–lein.** *Note: all diminutives are neuter and have umlaut if possible* (§ 32).

Example: das Töchterchen (Töchterlein) *from* die Tochter *daughter* = *(dear) little daughter*

1. Kindchen   2. Liedchen   3. Pferdchen   4. Väterchen
5. Stündchen   6. Städtchen   7. Söhnchen   8. Häuschen   9. Brüderlein   10. Schwesterlein   11. Büchlein   12. Mütterlein

Einundzwanzigste Aufgabe

Ein Märchen

Am Anfang des 19. Jahrhunderts schrieben die Brüder Grimm die Kinder- und Hausmärchen auf, die von Generation zu Generation im Volke erzählt worden waren und ohne die beiden Brüder heute zum großen Teil vergessen wären. Eines dieser Märchen, das weniger bekannt ist, wollen wir hier in unseren Worten wiedergeben. Es heißt „Vom Fischer und seiner Frau" und war ursprünglich in der kräftigen niederdeutschen Mundart aufgeschrieben worden, wurde aber von den Brüdern Grimm ins Hochdeutsche übersetzt.

Der Fischer und seine Frau wohnten in einer elenden Hütte in der Nähe eines Sees. Eines Tages zog der Fischer einen großen Fisch aus dem Wasser. Der Fisch aber sprach zu ihm: „Töte mich nicht, denn ich bin ein verwunschener Prinz." Der Fischer antwortete: „Rede nicht so viel! Ich hätte dich auch ohne deine Bitte wieder schwimmen lassen, als ich deine Stimme hörte; denn sprechende Fische kann ich nicht brauchen." Damit warf er ihn ins Wasser zurück. Als er nach Hause kam, schalt ihn seine Frau und rief: „Wenn du nicht so dumm wärest, hättest du dir von dem verwunschenen Prinzen eine bessere Hütte für uns wünschen können."

Da ging der Fischer zum See und rief den Fisch, der auch bald heranschwamm. Er klagte dem Fisch: „Meine Frau sagt, ich hätte mir eine bessere Hütte wünschen sollen." Der Fisch antwortete: „Geh nach Hause, ihr Wunsch ist schon erfüllt." Wirklich fand der Fischer seine Frau in einem schönen Häuschen mit zwei Zimmern, einer Küche und einem Garten.

Nach vierzehn Tagen begann die Frau wieder zu schelten: „Wenn ich an deiner Stelle gewesen wäre, hätte ich den Fisch um ein großes Schloß gebeten; denn unser Häuschen ist doch viel zu klein." Als der Fischer an den See kam, war das Wasser grau, aber noch ruhig. Wieder erfüllte der Fisch die Bitte des traurigen Mannes. Als er nach Hause kam, fand er seine Frau in einem Schloß mit Wald und Gärten, mit Pferden und anderen Tieren.

Doch schon am folgenden Morgen begann die Frau wieder: „Wenn ich jetzt Königin wäre, würde ich ganz zufrieden sein." Als der Fischer zum See kam, war dieser dunkler und unruhiger geworden, aber wieder erfüllte der Fisch die unsinnige Bitte der Frau. Sie wurde Königin; sie wurde Kaiserin; sie wurde endlich sogar Papst. Der See war immer wilder geworden; aber die Frau ließ sich nicht warnen. „Wenn ich der liebe Gott wäre und Sonne und Mond aufgehen lassen könnte, dann wäre ich erst ganz zufrieden," sagte sie.

Der Fischer ging an den See, obwohl es dieses Mal blitzte und donnerte und die Wellen so hoch gingen wie Berge. Als der Fisch den letzten Wunsch der Frau hörte, sagte er nur: „Wenn deine Frau einmal zufrieden gewesen wäre, so brauchte sie nicht wieder in der alten, elenden Hütte zu wohnen." Aber dort fand sie der Fischer: wieder in der alten Hütte, als ob ihr nie ein Wunsch erfüllt worden wäre.

Aus dem Märchen spricht die Weisheit des Volkes: die Frau des Fischers war mit nichts zufrieden. Sie wollte immer mehr, und schließlich wollte sie sogar Gott sein, ehe sie wirklich Mensch geworden war.

Wortschatz

auf-gehen, ging auf, ist auf-gegangen go up, rise
die Bitte, –n request
donnern thunder
dunkel dark
elend miserable
der Fisch, –es, –e fish; der **Fischer, –s, —** fisherman
der Garten, –s, ⸚ garden
die Generation′, –en (*pron.* –ziōn′) generation
grau gray
das Häuschen (*pron.* **Häus-chen**), **–s, —** little house
heran′-schwimmen, schwamm heran′, ist heran′geschwommen swim up
das Hochdeutsche High German
die Kaiserin, –nen empress
die Kinder- und Hausmärchen (*pl.*) fairy tales for children and the home
klagen complain
die Königin, –nen queen
kräftig vigorous, forceful
das Mal, –es, –e time
das Märchen, –s, — fairy tale
der Mond, –es, –e moon
die Mundart, –en dialect
niederdeutsch Low German
der Prinz, –en, –en prince
das Schloß, Schlosses, Schlösser palace
schwimmen, schwamm, ist geschwommen swim
der See, –s, –n lake

sogar' even
töten kill
überset'zen translate
unruhig restless, turbulent
unsinnig nonsensical
ursprünglich original(ly)
verwun'schen enchanted
das Wasser, –s, — water
die Weisheit wisdom

wieder-geben (gibt wieder), gab wieder, wiedergegeben reproduce
ziehen, zog, gezo'gen pull
zufrie'den content, satisfied
zurück'-werfen (wirft zurück), warf zurück, zurückgeworfen throw back

Grammar

112. All verb forms taken up in the grammar before this lesson are in the indicative. The indicative states facts or the speaker's (writer's) own convictions. The *SUBJUNCTIVE* is used for statements contrary to fact or open to doubt. Few special subjunctive forms survive in English: If he *were* ... (not *was* or *is*); God *bless* you (not *blesses*). Generally English substitutes verb forms which look like past indicatives but do not necessarily refer to past time, or paraphrases with *would:* If he *came*, I *would* leave (refers to future). If he *had* come, I *would* have left. If he *knew* it, he *would* tell us (refers to present).

113. German has two sets of subjunctive forms: type 1 based on the infinitive, and type 2 based on the past tense (but not necessarily referring to past time). For both sets the endings are –e, –est, –e; –en, –et, –en. (In weak verbs, which have the past tense sign –te, the e is not doubled in subjunctive 2.) The irregularities of the present indicative (§§ 54–55, 96) do not appear in the subjunctive type 1:

Type 1: ich frage, du fragest, er frage; wir fragen, ihr fraget, sie fragen
ich sehe, du sehest, er sehe; wir sehen, ihr sehet, sie sehen
ich wolle, du wollest, er wolle; wir wollen, ihr wollet, sie wollen

Type 2: ich fragte, du fragtest, er fragte; wir fragten, ihr fragtet, sie fragten
ich sähe, du sähest, er sähe; wir sähen, ihr sähet, sie sähen
ich wollte, du wolltest, er wollte; wir wollten, ihr wolltet, sie wollten

Notice especially the ending –e in the third person singular of type 1, the only form which in all verbs is completely different from the indicative present (–t).

Notice also that strong verbs add umlaut where possible (a, o, u) in the subjunctive 2 (sähe) and that the subjunctive 2 of weak verbs has the same form as the past indicative (fragte, wollte).

Notes. (1) The only irregular subjunctive 1 is that of sein: ich sei, du sei(e)st, er sei; wir seien, ihr seiet, sie seien.[1]

(2) In compound verb forms (consisting of auxiliary + infinitive and/or past participle) the subjunctive form appears in the auxiliary: Er hätte gefragt (gesehen). Er könnte kommen. Er würde fragen. Er würde gefragt werden.

Although weak verbs do not add umlaut for subjunctive 2, weak auxiliaries (except sollen and wollen) do. Their frequency makes a distinctive subjunctive form useful: er hätte, würde; dürfte, könnte, möchte, müßte (but sollte, wollte).

(3) Most irregular weak verbs (§ 103) are regular in the subjunctive 2: er kennte, nennte, etc., but bringen, denken, and wissen (§ 102) add umlaut to the irregular past indicative: brächte, dächte, wüßte.

Preliminary rule of thumb for interpreting and using subjunctives:

(a) Subjunctive 1 in principal clauses = let, may: Er komme. *Let him come. May he come* (§ 124).

(b) Subjunctive 2 with conditions (wenn . . .) contrary to fact = would: Er käme, wenn er könnte. *He would come (if he would be able to) if he could.* (§ 114).

(c) Subjunctive 1 or 2 in indirect reports = English indicative: Er sagte, er käme bald. *He said he was coming soon* (§ 120).

114. Subjunctive 2 is used in conditions contrary to fact and in the conclusions drawn from them:

(1) Wenn er gekommen wäre, würde ich gegangen sein. *If he had come, I would have left.*

(2) Wenn es nicht so schwer wäre, würden wir es lernen. *If it were not so difficult, we would learn it.*

(3) Wenn ich es wüßte, würde ich es Ihnen sagen. *If I knew it, I would tell you.*

(4) Wenn ich es gewußt hätte, würde ich es Ihnen gesagt haben. *If I had known it, I would have told you.*

[1] For type 2 some forms based on former past plurals survive as irregularities: stünde, begönne, hülfe, etc. (§ 147).

115. Compound subjunctives like **würde . . . sehen** (based on the future) are practically equivalent to simple subjunctives like **sähe** (based on the past). Both mean *would see*. The conclusions of the preceding examples can therefore also be expressed in the following way (with the same translations):

(1) Wenn er gekommen wäre, wäre ich gegangen.
(2) Wenn es nicht so schwer wäre, lernten wir es.
(3) Wenn ich es wüßte, sagte ich es Ihnen.
(4) Wenn ich es gewußt hätte, hätte ich es Ihnen gesagt.

In the conclusion the form with **würde** is preferred for weak verbs (examples 2 and 3) because it shows the subjunctive more clearly; it is also favored in other cases in informal language. The form without **würde** is preferred for auxiliaries (1 and 4) and **wissen** because it is simpler and just as clearly subjunctive: **hätte** *would have* rather than **würde . . . haben** (**könnte** *could* rather than **würde . . . können** *would be able to*, **wüßte** *would know* rather than **würde . . . wissen**).

In exact English translation render every subjunctive 2 which is so used by *would* + infinitive. Since good English (like good German) style rejects *would* (**würde**) in the conditional clause, adjust to better style as the second step: **Wenn er gekommen wäre, (so) wäre ich gegangen.** *If he would have come, (then) I would have left.* Adjust to *If he had come, I would have left.*

116. Subjunctive forms of auxiliaries are especially important. Learn the basic meanings of these subjunctives:

hätte *would have*
wäre *would be (would have)*
würde *would* (full verb: *would become*)
dürfte *would be allowed to, might*
könnte *would be able to, could; might*
sollte *(would be supposed to) ought to (should)*

wäre . . . geworden *would have become* (full verb)
wäre . . . worden *would have been* (passive auxiliary)
hätte . . . gekonnt or **können** *would have been able to, could have*
hätte . . . gesollt or **sollen** *(would have been supposed to) ought to have (should have)*

Compare these meanings with those of the corresponding indicative forms without umlaut in the auxiliaries (§§ 77, 97, 101). The indicative **konnte** (without umlaut) *was able to* can also be rendered by *could*. For all other auxiliaries the basic meaning differs. The translation *should* is acceptable for **sollte** (with –t–) when it is a subjunctive (not a past indicative); it is avoidable even then: **Er sollte** (subj.) **es tun, aber er tut es nicht.** *He ought to (should) do it but he does not do it.* But **Er sollte** (indic.) **es tun, aber er hat es nicht getan.** *He was supposed to do it but he did not do it.* **Er soll** (without a –t–) is always *he is (supposed) to,* except in very formal English: **Du sollst nicht töten.** *Thou shalt not kill.*

Note. The subjunctive is not used with all conditional clauses, but only with those contrary to fact:

> Wenn er kommt, gehe ich. (indicative)
> Ich komme, wenn ich Zeit habe. *I'll come if I have time.* (indicative)

117. Both conditions and conclusions contrary to fact can be used detached from each other in incomplete sentences, in German as in English:

> Wenn ich es nur (*or* doch) gewußt hätte! *If I had only known it!* (wish contrary to fact)
> Ich würde das nicht tun. *I wouldn't do that* (i.e. if I were you).
> Das könnte wahr sein. *That (could) might be true.*

118. Conditions (in the indicative or subjunctive) can be expressed without **wenn** (in English, without *if,* usually only in compound tenses):

> Kommt er, so gehe ich. *If he comes, I'll leave.*
> Wäre er gekommen, so wäre ich gegangen. *Had he come, I would have left.*

The clues for this construction are the position of the verb in first place and the **so** (or **dann**) *then* which usually follows.

Summary. Verb-first word order indicates one of three constructions:

(1) A question without a question word: Kommt er?

(2) An imperative substitute (only with **wir** or **Sie**): Gehen wir! *Let us go* (§§ 20, 125). Kommen Sie! *Come* (§§ 12, 20, 125).

(3) This "disguised conditional clause," which is also used in incomplete sentences to express an unfulfilled wish: Hätte ich es nur gewußt! *Had I only known it!*

119. Concessive clauses (conceding a possibility) also use subjunctive 2 when they are contrary to fact:

> Obgleich ich es tun könnte, will ich es nicht. *Although I could (would be able to) do it, I do not want to.*
> Wenn ich es auch hätte tun können, wollte ich es nicht. *Even though I could have done it, I did not want to.*

Übungen

A. *State as conditions contrary to fact in present (future) time.*
(Make the transformation first in English.)

1. Wenn die Frau des Fischers nicht zu dumm ist, verliert sie ihr schönes Haus nicht. 2. Wenn seine Eltern Geld haben, schicken sie Paul nach Deutschland. 3. Wenn Paul nach Deutschland geht, wird er in Freiburg studieren. 4. Wenn dieser junge Mann zu viel Geld hat, arbeitet er nicht. 5. Wenn ich Zeit habe, komme ich mit Ihnen.

6. Wenn Mephistopheles Faust befriedigt, verliert dieser seine Seele. 7. Wenn es Mephistopheles gelingt, darf er Fausts Seele haben. 8. Fausts Leben gewinnt Sinn, wenn er auch an andere Menschen denkt. 9. Mephistopheles verliert den Pakt, wenn Faust neues Land für freie Menschen schafft.

10. Der Lehrling versucht seine Künste nicht, wenn der Meister zu Hause bleibt. 11. Wir machen einen Ausflug, wenn die Sonne scheint. 12. Wir bleiben nicht zu Hause, wenn das Wetter schön ist.

B. *State as conditions contrary to fact in past time (first in English):*
1. Schweigst du, so bleibst du ein Philosoph. 2. Wenn Beethoven nur Klavierkompositionen schriebe, würde sein Name doch mit Achtung genannt. 3. Wäre er nicht taub, so würde er vielleicht seine großen Symphonien nicht schreiben. 4. Hätte er nicht die Kunst, so nähme er sich das Leben. 5. Faust wäre ein besserer Mensch, wenn er Gretchen nicht im größten Unglück verließe. 6. Wenn Faust nicht auf die Magie verzichtet, wird er den Sinn des Lebens nicht finden. 7. Wenn er Mephistopheles folgte, würde er aufhören zu streben.[1]

C. *Answer in complete German sentences:*
1. Von wem wurden die Kindermärchen aufgeschrieben? 2. Was wäre das Schicksal der Märchen gewesen, wenn die Brüder Grimm sie nicht aufgeschrieben hätten? 3. In welcher Mundart wurde unser Märchen zuerst erzählt? 4. Wo wohnten der Fischer und seine Frau? 5. Was war der Fisch wirklich, den der Fischer eines Tages fing? 6. Warum hätte der Fischer den Fisch auch ohne seine Bitte freigelassen? 7. Warum wurde er von seiner Frau gescholten?

8. Tat der Fischer gerne, was seine Frau wollte? 9. Was war der erste Wunsch, den der Fisch erfüllte? 10. War die Frau nun

[1] For further practice, the sentences in *A* may be stated in past time.

zufrieden? 11. Was war der zweite Wunsch der Frau? 12. Welche anderen Wünsche erfüllte der Fisch noch? 13. Welchen Wunsch erfüllte er nicht? 14. Wie bestrafte der Fisch die Frau für den letzten Wunsch? 15. Warum wurde sie bestraft?

D. Translate:

1. It is stupid to have wishes like these: "If I had ... ," "if I were ... "; "if I had had ... ," "if I had been." 2. The dear Lord (**Gott**) himself would not be able to fulfill all such wishes. 3. If (the) man had all (what) he wants, he would not strive any more; he would stop being (to be) man. 4. What kind of a world would it be, if all wishes were immediately fulfilled? 5. One probably would become insane in such a world.

E. Read: „Das Märchen" (p. 171)

Zweiundzwanzigste Aufgabe

Dreifache Warnung

Von Arthur Schnitzler, dem österreichischen Schriftsteller (1862–1931), gibt es eine kurze Erzählung, die absurd zu sein scheint, aber doch ihren tieferen Sinn hat.

Ein Jüngling, so beginnt die Erzählung, wollte an einem schönen Morgen durch einen Wald gehen. Da hörte er eine Stimme, die ihn warnte, er solle nicht durch den Wald gehen, wenn er nicht ein Leben vernichten wolle. Der Jüngling aber lachte und ging weiter durch den Wald, bis er an eine Wiese kam. Da rief die Stimme wieder, er solle nicht weitergehen, wenn er nicht ein großes Unglück über sein Land bringen wolle. Der Jüngling antwortete der Stimme, sie habe ihn vorher gewarnt, und nichts sei geschehen. Die Stimme aber erwiderte, als er durch den Wald gegangen sei, habe er einen Wurm zertreten, und er könne nicht wissen, wozu der Wurm im Haushalt der Natur bestimmt gewesen sei.

Der Jüngling lachte wieder laut, und ging fröhlich über die Wiese bis an den Fuß eines Berges. Nichts schien geschehen zu sein; nur ein Schmetterling war vor ihm davongeflogen. Aber wieder warnte ihn die Stimme, er solle nicht auf den Berg steigen, denn es koste sein Leben. Diesmal hörte der Jüngling nicht einmal auf die Worte der Stimme, sondern stieg auf den steilen Berg hinauf. Als er oben ankam, war es fast dunkel geworden, und es war unmöglich, im Dunkeln den steilen Berg hinabzusteigen.

Da fragte die Stimme den Jüngling, warum er nicht auf ihre Warnung gehört habe; jetzt sei er verloren. Der Jüngling antwortete, zweimal habe sie ihn gewarnt, und nichts sei geschehen; wie hätte er ihr das dritte Mal glauben können? Die Stimme aber fragte weiter, ob er wisse, was auf der Wiese geschehen sei. Er habe dort einen Schmetterling aufgejagt. Dieser sei zur Hauptstadt geflogen, und von diesem Schmetterling werde eine Raupe

abstammen, die der Königin über den Nacken kriechen werde.
Die Königin werde erschrecken und ein totes Kind zur Welt
bringen. Dann werde der grausame Bruder des Königs die Herrschaft an sich reißen, und das ganze Volk werde leiden müssen;
alles nur, weil er nicht auf ihre Warnung gehört habe.

Was Schnitzler mit dieser Geschichte sagen will, ist, daß der
Mensch in einem kosmischen Zusammenhang steht, in dem auch
die kleinste Handlung die größte Wirkung haben kann. Die Frage
ist dann: kann der Mensch überhaupt noch handeln, ohne schuldig
zu werden? Wo beginnt die Verantwortung des Menschen, und
wo hört sie auf?

Wortschatz

ab-stammen descend, come

absurd' absurd

auf-jagen stir up

bestim'men destine

davon'-fliegen, flog davon, ist
davongeflogen fly away

dreifach triple

dunkel dark; das Dunk(e)le (adj.
inflection) darkness

erschre'cken (erschrickt), er-
schrak, ist erschrocken be
frightened

erwi'dern answer, reply

fliegen, flog, ist geflogen fly

gesche'hen (geschieht), geschah, ist geschehen happen

es gibt, gab, hat gege'ben there
is (are)

grausam cruel, brutal

handeln act; die Handlung, –en
action

die Hauptstadt, ⸚e (= das
Haupt, –es, ⸚er head + die
Stadt) capital

der Haushalt, –s, –e household

die Herrschaft, –en rule, reign

hinab'-steigen, stieg hinab, ist
hinabgestiegen climb down

der Jüngling, –s, –e young man,
youth

kosmisch cosmic

kosten cost

kriechen, kroch, ist gekro'chen
crawl, creep

der Nacken, –s, — (back of) neck

die Natur', –en nature

oben above, on the top

österreichisch Austrian

die Raupe, –n caterpillar

reißen, riß, geris'sen tear; an
sich — seize, snatch, usurp

der Schmetterling, –s, –e butterfly

der Schriftsteller, –s, — author

schuldig guilty

steigen, stieg, ist gestie'gen
climb

die Stimme, –n voice

überhaupt': — noch still . . . at
all

unmög'lich impossible

die Verant'wortung responsibility

vernich'ten annihilate, destroy

vorher in advance, before

warnen (vor) warn (against); die
Warnung, –en warning

Welt: zur — bringen give birth
to

die Wiese, –n meadow

die Wirkung, –en effect

wozu' to what, for what purpose

der **Wurm, –es, ⸚er** worm
zertre′ten (**zertritt**), **zertrat**,
   zertreten crush (with one's feet)

der **Zusam′menhang, –s, ⸚e** connection, nexus
zweimal twice

Grammar

120. German uses the subjunctive, type 1 or 2, for *INDIRECT REPORTS* of someone's words or opinions: **Er sagte: „Ich bin krank"** (direct quotation of his original words). **Er sagte, er sei (wäre) krank** *He said he was sick* (indirect report of his words, "indirect discourse"). English uses the indicative, but in a tense harmonizing with the introductory principal clause: **Er sagte, er habe (hätte) kein Geld** *He said he had no money.*

121. The form with **daß** is also used: **Er sagte, daß er kein Geld habe (hätte),** but the simpler form without **daß** and with normal word order is more frequent. An indirect report can run through a whole paragraph, the continued use of the subjunctive informing the reader that he is still confronted with an indirect report of someone's words or opinions.

122. Subjunctive 1 in indirect reports belongs to literary language and to the speech of highly educated speakers. Otherwise subjunctive 2 is more common. It must be used even in formal language when subjunctive 1 has the same form as the corresponding indicative: **Er sagt(e), sie hätten** (not **haben**) **kein Geld. Er fragt(e), ob ich Geld hätte.** The most informal language often uses the indicative after the present tense: **Er sagt, er hat kein Geld.**

Since the subjunctive makes statements open to doubt, it is not used after introductions implying certainty: those in the first person (the speaker or writer endorses the report) and those using verbs like "know, be certain, have no doubt":

Ich habe Ihnen doch gesagt, daß es nicht wahr ist. *I told you (after all) that it is not true.*

Er wußte, daß er das nicht tun konnte. *He knew that he could not do that.*

123. An indirect report referring to a time earlier than that of the introduction appears in a compound past tense. *He says (said) that she came yesterday* has in German a form corresponding to

He says (said) that she has (had) come yesterday: Er sagt(e), sie
<u>sei</u> (<u>wäre</u>) gestern gekommen.

Er fragte, wann sie gekommen sei (wäre). *He asked when she had
come (came).*

Er wollte wissen, ob es wirklich geschehen sei (wäre). *He wanted to
know whether it (had) really happened.*

Note. **Er sagte ihr, sie solle (sollte) kommen.** *He told her that she was
to come (that she should come).* Here the translation *should* is acceptable.
The English construction *He told her to come* has no equivalent in German.

Übungen

A. State in indirect discourse. Make each sentence dependent upon
Wir haben gelesen, daß . . .

1. Der Jüngling wollte durch einen Wald gehen. 2. Er hörte eine
Stimme. 3. Die Stimme warnte ihn, aber er ging ruhig weiter.
4. Dann kam er an einen steilen Berg und stieg hinauf. 5. Er
konnte nicht mehr hinabsteigen.

*B. State in indirect discourse, dependent on the same clause used
in A, but without* **daß** [1]:

1. Die Stimme warnte ihn vor dem Walde. 2. Der Jüngling
hörte nicht auf die Stimme, da das nicht geschah, was sie gesagt
hatte. 3. Der Jüngling hat sie nie richtig verstanden, und das
wurde die Ursache seines Todes.
4. Schillers Eltern hatten sehr wenig Geld. 5. Auf der Militärschule gab es keine Freiheit. 6. Schiller wurde bestraft und
durfte keine Dramen mehr schreiben. 7. Er floh nach Mannheim
und lebte dann einige Jahre bei Freunden. 8. Er wurde an die
Universität Jena gerufen, wo er seine großen Dramen schrieb.
9. Er starb sehr früh. 10. Zu Mozart kam kurz vor seinem Tode
ein Fremder, der ihn bat, eine Totenmesse zu schreiben. 11. Mozart ging sogleich an die Arbeit, bei der ihn niemand stören durfte.
12. Er starb, als er das Werk beendet hatte. (*indicative*)

C. Read the quotations as indirect questions [2]:

1. Der Fremde fragte Mozart: „Wollen Sie eine Totenmesse
schreiben? 2. Wie lange Zeit brauchen Sie dafür? 3. Wieviel
Geld erwarten Sie für Ihre Arbeit?"
4. Der Lehrling fragte sich: „Soll ich nicht auch einmal die
Künste des Meisters versuchen?" 5. Später aber fragte er:

---

[1] Different word order!   [2] It may be helpful to make the transformation first in English.

„Habe ich die Worte vergessen, die die Knechte wieder in einen Besen verwandeln?" (*indicative*)   6. Herr Frank fragt Herrn Kunz: „Was tun Sie? Sind Sie noch Sekretär bei der Stadt? 7. Sind Sie verheiratet?   8. Haben Sie Söhne und Töchter? 9. Oder wollen Sie ohne Familie durchs Leben gehen?"

D. Express the following imperatives indirectly [1]:

1. Faust sprach zum Augenblick: „Verweile doch, du bist so schön!"   2. Der Lehrling sagte: „Komm, du alter Besen!   3. Hole mir Wasser zu einem Bad!"   4. Peter sagte zu Paul: „Sei um vier Uhr an der Universität!   5. Aber komm nicht zu spät, da ich nicht warten kann."   6. Der Vater spricht zu seiner Familie: „Macht euch fertig!   Redet nicht lange!   7. Seid in zehn Minuten bereit, an die Bahn zu gehen!"

E. Answer in complete German sentences:

1. Wer war Arthur Schnitzler?

2. Warum warnte die Stimme den Jüngling, als er durch den Wald gehen wollte?   3. Wohin kam er, als er durch den Wald gegangen war?   4. Was war geschehen, als er durch den Wald ging?   5. Was kann der Jüngling nicht wissen?

6. Wohin kam er zuletzt?   7. Wovor wurde er dieses Mal gewarnt?   8. Warum konnte er am Abend nicht mehr vom Berge hinabsteigen?   9. Warum hatte der Jüngling nicht mehr auf die Stimme gehört?   10. Was war geschehen, als er über die Wiese ging?   11. Was wird nach den Worten der Stimme in der Hauptstadt geschehen?   12. Wer wird König werden?

13. Was bedeutet diese Geschichte?   14. Können Sie die letzte Frage unseres Stückes beantworten?

F. Read: „Die drei Ringe" (p. 172)

[1] It may be helpful to make the transformation first in English.

Dreiundzwanzigste Aufgabe

Other Functions of the Subjunctive

Höflichkeit

Höflichkeit ist eine gesellschaftliche Form, die dem Menschen hilft, den Umgang mit anderen angenehm, ja [1] möglich zu machen. Wahre Höflichkeit hält die Mitte zwischen zwei Extremen, die beide unerträglich sind. Es gibt Menschen, die keine Formen menschlichen Umgangs anerkennen, Menschen, die immer sagen wollen, was sie denken, und die immer recht zu haben glauben. Es gibt andere Menschen, die nur das sagen, was andere von ihnen erwarten, die immer anderen „nach dem Munde reden" und darum nie aufrichtig sind. Zwischen diesen beiden Extremen bewegt sich die Höflichkeit des Alltags. Im folgenden geben wir ein Beispiel, in dem die Höflichkeit gut gemeint sein mag, die Aufrichtigkeit aber etwas zu wünschen übrig läßt.

„Dürfte ich einen Augenblick zu Ihnen kommen? Ich hätte eine kleine Frage," sagt Frau Meier am Telefon. Frau Schmidt denkt: „Wenn diese Frau Meier mich nur nicht immer in meiner Arbeit störte!" Aber mit der höflichsten Stimme antwortet sie: „Natürlich, liebe Frau Meier. Ich würde mich sehr freuen! Kommen Sie nur!" Dann nimmt sie schnell den Hut, den Mantel und die Zeitungen vom Tisch und den Stühlen und denkt: „Wenn diese Frau nur nicht immer so lange redete!" Aber sie empfängt sie sehr höflich. Frau Meier beginnt eine lange Geschichte von ihrem Manne, von ihren Kindern und von ihren Gästen, die endlich abgereist seien. Jetzt könne sie endlich einmal wieder allein sein und brauche nicht den ganzen Tag zu reden. Nach einer Stunde geht sie endlich, und Frau Schmidt sagt: „Wenn Sie doch etwas länger bleiben könnten!" Aber sie denkt: „Gott sei Dank, daß sie geht. Bald kommt mein Mann aus dem Büro, und das Essen ist noch nicht fertig."

[1] *in fact.*

Ein paar Wochen später ruft Frau Meier wieder bei Frau Schmidt an: „Dürfte ich Sie und Ihren Mann für Sonntag abend zum Essen einladen? Wie wäre es, wenn Sie um sechs Uhr zu uns kämen?" Frau Schmidt antwortet natürlich: „Das ist lieb von Ihnen, Frau Meier. Ich habe schon lange darüber nachgedacht, wie wir einmal wieder zusammenkommen könnten." — Frau Meier: „Sie würden uns wirklich eine große Freude machen, wenn Sie unsere Einladung annähmen." — Frau Schmidt: „Gut, ich werde meinen Mann fragen, aber ich wüßte nicht, was ihn abhalten könnte. Sagen wir also: Wenn etwas dazwischenkommen sollte, werde ich spätestens Freitag abend anrufen. Also, auf Wiedersehen!"

Obwohl Frau Schmidt so tat, als ob sie sich sehr freute, wußte sie doch, daß ihr Mann alles andere lieber täte, als einen Abend bei Meiers zubringen. Sie ist aber sicher, daß er höflich sein und die Einladung annehmen wird, wenn es ihm auch noch so schwer fällt. Als ihr Mann müde aus dem Büro nach Hause kommt und von der Einladung hört, möchte er am liebsten seine Frau schelten; aber er klagt nur: „Wenn Ihr Frauen einen doch in Ruhe und Frieden ließet! Ich hätte am Sonntag viel lieber einen Ausflug ins Gebirge gemacht!" und bitter fügt er hinzu: „Der Mann denkt, die Frau lenkt.[1] Es lebe die Höflichkeit!"

Wortschatz

ab-halten (hält ab), hielt ab, abgehalten keep away, prevent
ab-reisen depart, leave
der Alltag, -s, -e everyday
an-rufen, rief an, angerufen (bei) call up
aufrichtig sincere; **die Aufrichtigkeit** sincerity
der Augenblick, -s, -e moment
das Beispiel, -s, -e example
bitter bitter
dazwi'schen-kommen, kam dazwischen, ist dazwischengekommen intervene, turn up
ein-laden (lädt ein), lud ein, eingeladen invite; **die Einladung, -en** invitation

das Extrem', -s, -e extreme
fallen: es fällt mir schwer it is difficult for me
die Form, -en form
sich freuen be glad, rejoice; **es freut mich** it makes me glad or happy
der Gast, -es, "e guest
gesell'schaftlich social
Gott sei Dank God be thanked, thank goodness
hinzu'-fügen add
höflich polite; **die Höflichkeit** politeness
der Hut, -es, "e hat
lenken guide, direct
der Mantel, -s, " overcoat

[1] A variation of the saying: „Der Mensch denkt, Gott lenkt."

müde tired
der **Mund, –es, ⁻er** mouth; **jemand nach dem Munde reden**
chime in with somebody
**nach-denken, dachte nach,
nachgedacht** think about, reflect upon
noch so ever so
die **Ruhe** rest, quiet
spätestens the latest
der **Stuhl, –es, ⁻e** chair
das **Telefōn', –s, –e** telephone

übrig over; **— lassen** leave over;
zu wünschen übrig lassen
leave to be desired
der **Umgang, –s** association
unerträg'lich unbearable
die **Zeitung, –en** newspaper
**zu-bringen, brachte zu, zuge-
bracht** spend (*time*)
**zusam'men-kommen, kam zu-
sammen, ist zusammenge-
kommen** come *or* get together

Grammar

124. The chief function of subjunctive 1, aside from formal indirect report, is to express a wish in a principal clause. Like its
survivals in English it belongs mostly to the language of literature.
(The language of conversation prefers expressions with **sollen.**)
Translate it by *let* or *may* + infinitive:

Er komme herein (= Er soll hereinkommen). *Let him come in* (= *He
is to come in*).
Er frage (= Er soll fragen). *Let him ask.*
Er ruhe in Frieden. *May he rest in peace.*
Gott segne dich. (*May*) *God bless you.*
Dein Reich komme, dein Wille geschehe. (*May*) *Thy kingdom come,
Thy will be done.*
Es lebe die Republik! *Long live the republic!*
Er lebe hoch (= Hoch soll er leben)! *Long may he live!*
Gott sei Dank. (*Thanks be to God.*) *Thank goodness.*

Watch especially the ending **–e** of the third person singular,
which changes the meaning completely:

Er kommt. *He comes. He is coming.* (a fact)
Er komme. *Let him come.* (a wish)

125. Based on this wish function of subjunctive 1 are imperative
equivalents like:

Gehen wir! *Let us go.*
Kommen Sie! *Come!* (literally, *May you come.*)
Man nehme ein Glas. *Take a glass.* (literally, *Let someone take a
glass.*)
Man erwarte kein Wunder. *Do not expect a miracle.* (*Let one expect
no miracle. Let no one expect a . . .*)

Note. Instead of **Gehen wir,** the form corresponding to English is also used: **Laß (Laßt, Lassen Sie) uns gehen** (real imperative).

126. The subjunctive of wish (type 1 or 2) can also be used in subordinate clauses introduced by **damit** *so that:*

> Sie sagte ihm, sie würde nicht zu Hause sein, damit er nicht vergebens käme. *She told him she would not be at home so that he would (might) not come in vain.*
>
> Er erklärte es ihm, damit er es richtig verstehe. *He explained it to him in order that he might understand it correctly.*

127. Subjunctive 2 in a principal clause can be used to make a statement or request more modest, as is sometimes done in English:

> Ich wüßte nicht. *I would not (= do not) know.*
> Ich hätte eine Frage. *I have a question.*
> Dürfte ich kommen? *May (Might) I come?*
> Ich möchte noch eine Tasse Kaffee. *I'd like another cup of coffee.*
> Ich hätte (*or* habe) nichts dagegen. *I have no objection.*
> Am liebsten äße ich gar nichts. *I'd like best to eat nothing at all.*
> Es könnte wahr sein. *It might (could) be true.*

Note. **Es dürfte wahr sein** means *It is probably true.*

128. Subjunctive 1 or 2 is used after **als ob, als wenn** *as if, as though,* because the statement is contrary to fact:

> Sie tat, als ob sie sich freu(t)e. *She acted as if she were glad.*
> Es schien mir, als ob ich ihn zum erstenmal sähe. *It seemed to me (I felt) as though I saw him for the first time.*

Als immediately followed by the verb in the subjunctive has the same meanings:

> Sie tat, als freu(t)e sie sich.
> Es schien mir, als sähe ich ihn zum ersten Male.

Goethe

Weimar:
Goethes und Schillers Grabstätte

Thomas Mann

Nürnberg: Alte Türme an der Pegnitz

REVIEW EXERCISES
lessons 21-23

A. Vocabulary Building. *(a) Analyze the following adjectives in* –lich:

Example: natürlich, *from* die Natur, *nature* : *natural*

1. freundlich 2. glücklich 3. ärztlich 4. beruflich 5. fürstlich
6. vertraulich 7. meisterlich

(b) Analyze the following adjectives in –ig:

Example: schuldig, *from* die Schuld, *guilt* : *guilty*

1. freudig 2. eckig 3. gewaltig 4. mächtig 5. gebirgig
6. bergig 7. waldig 8. sonnig

(c) Analyze the following adjectives in –isch:

Example: philosophisch, *from* der Philosoph, *philosopher* : *philosophical*

1. medizinisch 2. mörderisch 3. italienisch 4. kriegerisch
5. geographisch 6. holländisch 7. himmlisch 8. römisch

B. Word Families: *State meanings:*

1. das Ende, enden, beenden, endlich
2. die Schuld, schuldig, die Unschuld, unschuldig; entschuldigen
3. frei, freilassen, befreien, die Befreiung
4. recht, unrecht, gerecht, ungerecht, der Richter, das Gericht
5. nicht, nichts, vernichten, die Vernichtung
6. mitten, der Mittag, der Vormittag, der Nachmittag; das Mittagessen, der Nachmittagskaffee, die Vormittagsstunde
7. dienen, der Dienst, der Diener, die Dienerin
8. kennen, der Kenner, erkennen, anerkennen, die Anerkennung
9. geben, wiedergeben, zurückgeben, umgeben, die Umgebung
10. steigen, aussteigen, hinabsteigen, hinaufsteigen
11. fahren, die Fahrt, der Fahrer, die Fahrerin; fortfahren, hinunterfahren, vorfahren
12. führen, der Führer, die Führerin, die Führung, herbeiführen, verführen, der Verführer, die Verführung

C. *Insert the words in parentheses in the correct place:*
1. Wir werden in die Stadt gehen (heute nachmittag). 2. Sie sind gestern zurückgekommen (aus Deutschland). 3. Ich habe das Buch schon vor einigen Tagen zurückgegeben (ihm). 4. Wir

werden unsern Eltern bald schreiben (es). 5. Wir hoffen, von unserer Reise in einer Woche zurückkehren (zu).

D. *Begin the following sentences with the words in parentheses:*

1. Mozart wurde (am Tage seines Todes) mit dem Requiem fertig.
2. Mozart sagte: („Ich will vor meinem Tode fertig werden.")
3. Wir haben (den „Zauberlehrling") im Konzert gehört.

E. *Connect by the words in parentheses, adjusting word order:*

1. (*When*) Wir kehren nach Hause zurück. Wir werden euch besuchen. 2. (*When*) Wir kommen nach Hause. Wir wissen noch nicht. 3. (*When*) Sie waren in Frankreich. Der zweite Weltkrieg begann. 4. (*While*) Ihr wart in der Stadt. Wir arbeiteten. 5. (*After*) Faust hatte den Pakt geschlossen. Er verliebte sich in Gretchen. 6. (*Since*) Mephistopheles konnte Faust nicht verführen. Er verlor den Pakt.

F. *Read in the present perfect:*

1. Die Mönche schrieben das Hildebrandslied auf. 2. Der Jüngling hörte nicht auf die Stimme. 3. Man sagt, daß er nicht mehr vom Berge hinabsteigen konnte. 4. Er wurde mehrere Male von der Stimme gewarnt.

Grammatical Patterns

129. Articles

Definite: der, die, das (complete declension § 39)
Indefinite: ein, eine, ein (complete declension § 34)

130. Patterns of noun declensions

CLASS 1

Sing.	Masc.	Fem.	Neut.
Nom.	der Vater	die Mutter	das Häuschen
Gen.	des Vaters	der Mutter	des Häuschens
Dat.	dem Vater	der Mutter	dem Häuschen
Acc.	den Vater	die Mutter	das Häuschen

Plural			
Nom.	die Väter	die Mütter	die Häuschen
Gen.	der Väter	der Mütter	der Häuschen
Dat.	den Vätern	den Müttern	den Häuschen
Acc.	die Väter	die Mütter	die Häuschen

CLASS 2

Sing.	Masc.	Fem.	Neut.
Nom.	der Sohn	die Nacht	das Jahr
Gen.	des Sohn(e)s	der Nacht	des Jahr(e)s
Dat.	dem Sohn(e)	der Nacht	dem Jahr(e)
Acc.	den Sohn	die Nacht	das Jahr

Plural			
Nom.	die Söhne	die Nächte	die Jahre
Gen.	der Söhne	der Nächte	der Jahre
Dat.	den Söhnen	den Nächten	den Jahren
Acc.	die Söhne	die Nächte	die Jahre

CLASS 3		CLASS 4	
Masc.	Neut.	Masc.	Fem.
der Mann	das Haus	der Mensch	die Tür
des Mann(e)s	des Hauses	des Menschen	der Tür
dem Mann(e)	dem Haus(e)	dem Menschen	der Tür
den Mann	das Haus	den Menschen	die Tür
die Männer	die Häuser	die Menschen	die Türen
der Männer	der Häuser	der Menschen	der Türen
den Männern	den Häusern	den Menschen	den Türen
die Männer	die Häuser	die Menschen	die Türen

CLASS 5

Masc.	*Neut.*		*Foreign Plural* *Neut.*
der Profes'sor	das Ende	das Drama	das Auto
des Professors	des Endes	des Dramas	des Autos
dem Professor	dem Ende	dem Drama	dem Auto
den Professor	das Ende	das Drama	das Auto
die Professo'ren	die Enden	die Dramen	die Autos
der Professoren	der Enden	der Dramen	der Autos
den Professoren	den Enden	den Dramen	den Autos
die Professoren	die Enden	die Dramen	die Autos

Membership of noun declensions. Rules which assign nouns to one of the five declension classes are complicated and confusing rather than helpful for the beginner. Nouns should be learned with articles and principal parts (§ 32).

131. Adjective endings

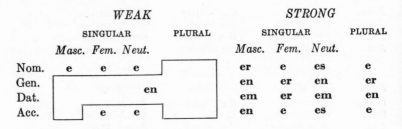

	WEAK				*STRONG*			
	SINGULAR			PLURAL	SINGULAR			PLURAL
	Masc.	*Fem.*	*Neut.*		*Masc.*	*Fem.*	*Neut.*	
Nom.	e	e	e		er	e	es	e
Gen.			en		en	er	en	er
Dat.					em	er	em	en
Acc.		e	e		en	e	es	e

MIXED

	SINGULAR			PLURAL
	Masc.	*Fem.*	*Neut.*	
Nom.	er	e	es	
Gen.				
Dat.		en		
Acc.		e	es	

Weak after **der**-words (§§ 39, 57).

Strong when no **der**- or **ein**-word precedes (§§ 2, 58).

Mixed after forms of **ein, kein,** and the possessives **mein, dein, sein, ihr (Ihr), unser, euer** (§§ 57–58, 63).

132. Patterns of adjective declensions

(a) Weak

Masc.	*Fem.*	*Neut.*
der alte Freund	die junge Frau	das neue Buch
des alten Freund(e)s	der jungen Frau	des neuen Buch(e)s
dem alten Freund(e)	der jungen Frau	dem neuen Buch(e)
den alten Freund	die junge Frau	das neue Buch
die alten Freunde	die jungen Frauen	die neuen Bücher
der alten Freunde	der jungen Frauen	der neuen Bücher
den alten Freunden	den jungen Frauen	den neuen Büchern
die alten Freunde	die jungen Frauen	die neuen Bücher

(b) Strong

Masc.	*Fem.*	*Neut.*
alter Freund	junge Frau	neues Buch
alten Freund(e)s	junger Frau	neuen Buch(e)s
altem Freund(e)	junger Frau	neuem Buch(e)
alten Freund	junge Frau	neues Buch
alte Freunde	junge Frauen	neue Bücher
alter Freunde	junger Frauen	neuer Bücher
alten Freunden	jungen Frauen	neuen Büchern
alte Freunde	junge Frauen	neue Bücher

(c) Mixed

Masc.	*Fem.*
mein alter Freund	seine junge Frau
meines alten Freund(e)s	seiner jungen Frau
meinem alten Freund(e)	seiner jungen Frau
meinen alten Freund	seine junge Frau
meine alten Freunde	ihre jungen Frauen
meiner alten Freunde	ihrer jungen Frauen
meinen alten Freunden	ihren jungen Frauen
meine alten Freunde	ihre jungen Frauen

Neut.

unser neues Buch
uns(e)res neuen Buch(e)s
unser(e)m neuen Buch(e)
unser neues Buch

uns(e)re neuen Bücher
uns(e)rer neuen Bücher
unser(e)n neuen Büchern
uns(e)re neuen Bücher

133. Adjectives as nouns

	Masc.		*Fem.*	
der Deutsche	ein Deutscher		die Deutsche	eine Deutsche
des Deutschen	eines Deutschen		der Deutschen	einer Deutschen
dem Deutschen	einem Deutschen		der Deutschen	einer Deutschen
den Deutschen	einen Deutschen		die Deutsche	eine Deutsche

PLURAL

die Deutschen	Deutsche	keine Deutschen
der Deutschen	Deutscher	keiner Deutschen
den Deutschen	Deutschen	keinen Deutschen
die Deutschen	Deutsche	keine Deutschen

Neut.

the better thing	a better thing
das Bessere	ein Besseres
des Besseren	eines Besseren
dem Besseren	einem Besseren
das Bessere	ein Besseres

134. Demonstratives **dieser** and **der**

SINGULAR			PLURAL		SINGULAR		PLURAL
Masc.	*Fem.*	*Neut.*		*Masc.*	*Fem.*	*Neut.*	
dieser	diese	dies(es)	diese	der	die	das	die
dieses	dieser	dieses	dieser	**dessen**	**deren**	**dessen**	**deren**
							(**derer**)
diesem	dieser	diesem	diesen	dem	der	dem	denen
diesen	diese	dies(es)	diese	den	die	das	die

135. Personal and reflexive pronouns

SINGULAR

Nom.	ich	du	er	**sie**	es	
Gen.	meiner	deiner	seiner	ihrer	seiner	
Dat.	mir	dir	ihm	**ihr**	ihm	→sich
Acc.	mich	dich	ihn	**sie**	es	

PLURAL

Nom.	wir	**ihr**	sie (Sie)	
Gen.	unser	euer	ihrer (Ihrer)	
Dat.	uns	euch	ihnen (Ihnen)	→sich
Acc.	uns	euch	**sie** (Sie)	

136. Relative pronouns **der** and **welcher**

SINGULAR			PLURAL		SINGULAR		PLURAL
Masc.	*Fem.*	*Neut.*		*Masc.*	*Fem.*	*Neut.*	
der	die	das	die	welcher	welche	welches	welche
dessen	deren	dessen	deren	dessen	deren	dessen	deren
dem	der	dem	denen	welchem	welcher	welchem	welchen
den	die	das	die	welchen	welche	welches	welche

137. Table of verb endings (for all verbs except **sein**)

Pres. Ind. of all verbs (except modals and **wissen**)	Subjunctive [1]	(1) Past (2) Pres. Ind. of modals and **wissen**	Imperative
e	e	—	
(e)st	est	(e)st	(e)
(e)t	e̱	—	
(e)n	en	(e)n	
(e)t	et	(e)t	(e)t
(e)n	en	(e)n	(e)n + **Sie**

Note. The **s** of the second person singular ending –st is merged with a preceding s-sound (§ 53).

[1] Where endings with **e** follow the past tense sign –te (subjunctive 2 of weak verbs), the **e** is not doubled (§ 113).

138. sein *be*

(In all verb tables, **er** stands also for **sie** (sing.) and **es,** and **sie** (plur.) stands also for **Sie.**)

	INDICATIVE	SUBJUNCTIVE	
		1	2
PRES.	*I am,* etc.		
	ich bin	sei	wäre
	du bist	sei(e)st	wärest
	er ist	sei	wäre
	wir sind	seien	wären
	ihr seid	seiet	wäret
	sie sind	seien	wären

PAST	*I was*	
	ich war	
	du warst	
	er war	
	wir waren	
	ihr wart	
	sie waren	

		PAST SUBJUNCTIVE	
PRES. PERF.	*I have been*		
	ich bin gewesen		sei (wäre) gewesen
	du bist gewesen		seiest (wärest) gewesen
	er ist gewesen		sei (wäre) gewesen
	wir sind gewesen		seien (wären) gewesen
	ihr seid gewesen		seiet (wäret) gewesen
	sie sind gewesen		seien (wären) gewesen

PAST PERF.	*I had been*	
	ich war gewesen	
	du warst gewesen	
	er war gewesen	
	wir waren gewesen	
	ihr wart gewesen	
	sie waren gewesen	

FUT.	*I shall be*	
	ich werde sein	werde (würde) sein
	du wirst sein	werdest (würdest) sein
	er wird sein	werde (würde) sein
	wir werden sein	werden (würden) sein
	ihr werdet sein	werdet (würdet) sein
	sie werden sein	werden (würden) sein

FUT. PERF.	*I shall have been*	
	ich werde gewesen sein	werde (würde) gewesen sein
	du wirst gewesen sein	werdest (würdest) gewesen sein
	er wird gewesen sein	werde (würde) gewesen sein
	etc.	

IMPERATIVE   sei, seid, seien Sie *be*

PARTICIPLES: PRESENT seiend *being*   PAST gewesen *been*

139. haben *have*

	INDICATIVE	SUBJUNCTIVE	
		1	2
PRES.	*I have,* etc.		
	ich habe	habe	hätte
	du hast	habest	hättest
	er hat	habe	hätte
	wir haben	haben	hätten
	ihr habt	habet	hättet
	sie haben	haben	hätten

PAST	*I had*
	ich hatte
	du hattest
	er hatte
	wir hatten
	ihr hattet
	sie hatten

PRES. PERF.	*I have had*	PAST SUBJUNCTIVE	
	ich habe gehabt		habe (hätte) gehabt
	du hast gehabt		habest (hättest) gehabt
	er hat gehabt		habe (hätte) gehabt
	wir haben gehabt		haben (hätten) gehabt
	ihr habt gehabt		habet (hättet) gehabt
	sie haben gehabt		haben (hätten) gehabt

PAST PERF.	*I had had*
	ich hatte gehabt
	du hattest gehabt
	er hatte gehabt
	wir hatten gehabt
	ihr hattet gehabt
	sie hatten gehabt

FUT.	*I shall have*	
	ich werde haben	werde (würde) haben
	du wirst haben	werdest (würdest) haben
	er wird haben	werde (würde) haben
	wir werden haben	werden (würden) haben
	ihr werdet haben	werdet (würdet) haben
	sie werden haben	werden (würden) haben

FUT. PERF.	*I shall have had*	
	ich werde gehabt haben	werde (würde) gehabt haben
	du wirst gehabt haben	werdest (würdest) gehabt haben
	er wird gehabt haben	werde (würde) gehabt haben
	etc.	

IMPERATIVE   habe, habt, haben Sie   *have*

PARTICIPLES: PRESENT   habend *having*   PAST   gehabt *had*

140. werden *become* (and auxiliary of future and passive)

	INDICATIVE	*SUBJUNCTIVE*	
		1	2
PRES.	*I become,* etc.		
	ich werde	werde	würde
	du wirst	werdest	würdest
	er wird	werde	würde
	wir werden	werden	würden
	ihr werdet	werdet	würdet
	sie werden	werden	würden

PAST	*I became*
	ich wurde (ward)
	du wurdest (wardst)
	er wurde (ward)
	wir wurden
	ihr wurdet
	sie wurden

PRES. PERF.	*I have become*	PAST SUBJUNCTIVE	
	ich bin (ge)worden [1]		sei (wäre) (ge)worden
	du bist (ge)worden		seiest (wärest) (ge)worden
	er ist (ge)worden		sei (wäre) (ge)worden
	wir sind (ge)worden		seien (wären) (ge)worden
	ihr seid (ge)worden		seiet (wäret) (ge)worden
	sie sind (ge)worden		seien (wären) (ge)worden

PAST PERF.	*I had become*
	ich war (ge)worden
	du warst (ge)worden
	er war (ge)worden
	wir waren (ge)worden
	ihr wart (ge)worden
	sie waren (ge)worden

FUT.	*I shall become*	
	ich werde werden	werde (würde) werden
	du wirst werden	werdest (würdest) werden
	er wird werden	werde (würde) werden
	wir werden werden	werden (würden) werden
	ihr werdet werden	werdet (würdet) werden
	sie werden werden	werden (würden) werden

FUT. PERF.	*I shall have become*	
	ich werde (ge)worden sein	werde (würde) (ge)worden sein
	du wirst (ge)worden sein	werdest (würdest) (ge)worden sein
	er wird (ge)worden sein	werde (würde) (ge)worden sein
	etc.	

IMPERATIVE   werde, werdet, werden Sie   *become*

PARTICIPLES: PRESENT   werdend *becoming*
               PAST   geworden *become*
                         worden *been* (passive)

[1] Form **worden** (without **ge–**) for passive auxiliary *been.*

141. sagen (a weak verb)   *say, tell*

	INDICATIVE	SUBJUNCTIVE	
PRES.	*I say,* etc.	1	2
	ich sage	sage	sagte
	du sagst	sagest	sagtest
	er sagt	sage	sagte
	wir sagen	sagen	sagten
	ihr sagt	saget	sagtet
	sie sagen	sagen	sagten

PAST   *I said*
ich sagte
du sagtest
er sagte
wir sagten
ihr sagtet
sie sagten

PRES.   *I have said*
PERF.   ich habe gesagt
du hast gesagt
er hat gesagt
wir haben gesagt
ihr habt gesagt
sie haben gesagt

PAST   *I had said*
PERF.   ich hatte gesagt
du hattest gesagt
er hatte gesagt
wir hatten gesagt
ihr hattet gesagt
sie hatten gesagt

PAST SUBJUNCTIVE

habe (hätte) gesagt
habest (hättest) gesagt
habe (hätte) gesagt
haben (hätten) gesagt
habet (hättet) gesagt
haben (hätten) gesagt

FUT.   *I shall say*
ich werde sagen   werde (würde) sagen
du wirst sagen   werdest (würdest) sagen
er wird sagen   werde (würde) sagen
wir werden sagen   werden (würden) sagen
ihr werdet sagen   werdet (würdet) sagen
sie werden sagen   werden (würden) sagen

FUT.   *I shall have said*
PERF.   ich werde gesagt haben   werde (würde) gesagt haben
du wirst gesagt haben   werdest (würdest) gesagt haben
er wird gesagt haben   werde (würde) gesagt haben
etc.

IMPERATIVE   sage, sagt, sagen Sie   *say*

PARTICIPLES: PRESENT sagend *saying*   PAST gesagt *said*

142. schreiben (a strong verb)   *write*

	INDICATIVE	SUBJUNCTIVE	
		1	2
PRES.	*I write,* etc.		
	ich schreibe	schreibe	schriebe
	du schreibst	schreibest	schriebest
	er schreibt	schreibe	schriebe
	wir schreiben	schreiben	schrieben
	ihr schreibt	schreibet	schriebet
	sie schreiben	schreiben	schrieben

PAST	*I wrote*
	ich schrieb
	du schriebst
	er schrieb
	wir schrieben
	ihr schriebt
	sie schrieben

PAST SUBJUNCTIVE

PRES. PERF.	*I have written*	
	ich habe geschrieben	habe (hätte) geschrieben
	du hast geschrieben	habest (hättest) geschrieben
	er hat geschrieben	habe (hätte) geschrieben
	wir haben geschrieben	haben (hätten) geschrieben
	ihr habt geschrieben	habet (hättet) geschrieben
	sie haben geschrieben	haben (hätten) geschrieben

PAST PERF.	*I had written*
	ich hatte geschrieben
	du hattest geschrieben
	er hatte geschrieben
	wir hatten geschrieben
	ihr hattet geschrieben
	sie hatten geschrieben

FUT.	*I shall write*	
	ich werde schreiben	werde (würde) schreiben
	du wirst schreiben	werdest (würdest) schreiben
	er wird schreiben	werde (würde) schreiben
	wir werden schreiben	werden (würden) schreiben
	ihr werdet schreiben	werdet (würdet) schreiben
	sie werden schreiben	werden (würden) schreiben

FUT. PERF.	*I shall have written*	
	ich werde geschrieben haben	werde (würde) geschrieben haben
	du wirst geschrieben haben	werdest (würdest) geschrieben haben
	er wird geschrieben haben etc.	werde (würde) geschrieben haben

IMPERATIVE   schreibe, schreibt, schreiben Sie   *write*

PARTICIPLES: PRESENT   schreibend   *writing*
              PAST   geschrieben   *written*

143. folgen (a verb with auxiliary **sein**) *follow*

	INDICATIVE	*SUBJUNCTIVE*	
PRES.	*he follows* er folgt	1 folge	2 folgte

PAST	*he followed* er folgte	⎫	
PRES. PERF.	*he has followed* er ist gefolgt	⎬ PAST SUBJUNCTIVE	sei (wäre) gefolgt
PAST PERF.	*he had followed* er war gefolgt	⎭	
FUT.	*he will follow* er wird folgen		werde (würde) folgen
FUT. PERF.	*he will have followed* er wird gefolgt sein		werde (würde) gefolgt sein

IMPERATIVE   folge, folgt, folgen Sie   *follow*

PARTICIPLES: PRESENT folgend *following*   PAST gefolgt *followed*

144. Patterns of strong verbs with vowel change in the present indicative

(1) **a** to **ä**	(2) **ĕ** to **i**	(3) **ē** to **ie**
ich falle *I fall*	ich spreche *I speak*	ich lese *I read*
du fällst	du sprichst	du liest
er fällt	er spricht	er liest
wir fallen	wir sprechen	wir lesen
ihr fallt	ihr sprecht	ihr lest
sie fallen	sie sprechen	sie lesen

IMPERATIVE

falle, fallt, fallen Sie   sprich, sprecht, sprechen Sie   lies, lest, lesen Sie

No vowel change in the subjunctive: du fallest, er falle; du sprechest, er spreche; du lesest, er lese.

145. Reflexive verbs (auxiliary usually **haben**)

(1) **sich waschen**   *wash oneself* (reflexive in the accusative)

PRESENT	ich wasche mich, du wäschst dich, er wäscht sich wir waschen uns, ihr wascht euch, sie waschen sich
PAST	er wusch sich
PRES. PERF.	er hat sich gewaschen
PAST PERF.	er hatte sich gewaschen
FUT.	er wird sich waschen
FUT. PERF.	er wird sich gewaschen haben
IMPERATIVE	wasche dich, wascht euch, waschen Sie sich
PARTICIPLES:	PRESENT sich waschend
	PAST sich . . . gewaschen

(2) **sich wünschen**   *wish for oneself* (reflexive in the dative)

PRESENT	ich wünsche mir, du wünschst dir, er wünscht sich wir wünschen uns, ihr wünscht euch, sie wünschen sich
IMPERATIVE	wünsche dir. wünscht euch, wünschen Sie sich

146. Passive voice: **fragen**   *ask*

	INDICATIVE	SUBJUNCTIVE

PRES.   *I am asked,* etc.

ich werde gefragt	werde (würde) gefragt
du wirst gefragt	werdest (würdest) gefragt
er wird gefragt	werde (würde) gefragt
wir werden gefragt	werden (würden) gefragt
ihr werdet gefragt	werdet (würdet) gefragt
sie werden gefragt	werden (würden) gefragt

PAST   *I was asked*

ich wurde gefragt
du wurdest gefragt
er wurde gefragt
wir wurden gefragt
ihr wurdet gefragt
sie wurden gefragt

PRES.   *I have been asked*
PERF.   ich bin gefragt worden   sei (wäre) gefragt worden
du bist gefragt worden   seiest (wärest) gefragt worden
er ist gefragt worden   sei (wäre) gefragt worden
etc.

PAST PARTICIPLE (side label: PAST SUBJUNCTIVE)

PAST   *I had been asked*
PERF.   ich war gefragt worden
du warst gefragt worden
er war gefragt worden
etc.

FUT.   *I shall be asked*
ich werde gefragt werden   werde (würde) gefragt werden
du wirst gefragt werden   werdest (würdest) gefragt werden
er wird gefragt werden   werde (würde) gefragt werden
etc.   etc.

FUT.   *he will have been asked*
PERF.   er wird gefragt worden   werde (würde) gefragt worden
sein, etc.   sein, etc.

PAST PARTICIPLE   gefragt worden   *been asked*

147. List of strong verbs used in this book

Compounds are omitted. Their auxiliary may differ from that of the simple verb: **Er hat gestanden.** *He has been standing.* **Er ist auf-gestanden.** *He has arisen.* The ablaut classes (§§ 79–80) are indicated after the infinitives.

INFIN.	(CLASS)	PAST	PAST PART.	3D SG. PRES.	IMP. SG.	SUBJ. 2	MEANING
befehlen	(4a)	befahl	befohlen	befiehlt	befiehl	beföhle	*command*
beginnen	(3)	begann	begonnen	beginnt	beginne	begänne (ö)	*begin*
bitten	(5a)	bat	gebeten	bittet	bitte	bäte	*ask, request*
bleiben	(1a)	blieb	(ist) geblieben	bleibt	bleibe	bliebe	*remain*
brechen	(4b)	brach	gebrochen	bricht	brich	bräche	*break*
dringen	(3)	drang	(hat, ist) gedrungen	dringt	dringe	dränge	*press*
einladen	(6a)	lud ein	eingeladen	lädt ein	lade ein	lüde ein	*invite*
entscheiden	(1a)	entschied	entschieden	entscheidet	entscheide	entschiede	*decide*
essen	(5b)	aß	gegessen	ißt	iß	äße	*eat*
fahren	(6a)	fuhr	(ist, hat) gefahren	fährt	fahre	führe	*go, ride, drive*
fallen	(7b)	fiel	(ist) gefallen	fällt	falle	fiele	*fall*
fangen	(7b)	fing	gefangen	fängt	fange	finge	*catch*
finden	(3)	fand	gefunden	findet	finde	fände	*find*
fliegen	(2a)	flog	(ist) geflogen	fliegt	fliege	flöge	*fly*
fliehen	(2a)	floh	(ist) geflohen	flieht	fliehe	flöhe	*flee*
fließen	(2b)	floß	(ist) geflossen	fließt	fließe	flösse	*flow*
gebären	(4a)	gebar	geboren	gebiert	gebäre	gebäre	*bear, give birth to*
geben	(5a)	gab	gegeben	gibt	gib	gäbe	*give*
gehen	(irr.)	ging	(ist) gegangen	geht	gehe	ginge	*go*
gelingen	(3)	gelang	(ist) gelungen	gelingt	—	gelänge	*succeed*
geschehen	(5a)	geschah	(ist) geschehen	geschieht	—	geschähe	*happen*
gewinnen	(3)	gewann	gewonnen	gewinnt	gewinne	gewänne (ö)	*win*
gießen	(2b)	goß	gegossen	gießt	gieße	gösse	*pour*
halten	(7b)	hielt	gehalten	hält	halte	hielte	*hold*
hangen (ä)	(7b)	hing	gehangen	hängt	hänge	hinge	*hang*
heben	(4a)	hob	gehoben	hebt	hebe	höbe	*lift*
heißen	(7a)	hieß	geheißen	heißt	heiße	hieße	*be named*
helfen	(4b)	half	geholfen	hilft	hilf	hülfe	*help*

INFIN.	(CLASS)	PAST	PAST PART.	3D SG. PRES.	IMP. SG.	SUBJ. 2	MEANING
kommen	(irr.)	kam	(ist) gekommen	kommt	komme	käme	come
kriechen	(2b)	kroch	(ist) gekrochen	kriecht	krieche	kröche	creep
lassen	(7b)	ließ	gelassen	läßt	lasse	ließe	let
laufen	(7a)	lief	(ist) gelaufen	läuft	laufe	liefe	run
leiden	(1b)	litt	gelitten	leidet	leide	litte	suffer
lesen	(5a)	las	gelesen	liest	lies	läse	read
liegen	(5a)	lag	gelegen	liegt	liege	läge	lie
nehmen	(4a)	nahm	genommen	nimmt	nimm	nähme	take
reißen	(1b)	riß	(hat, ist) gerissen	reißt	reiße	risse	tear
reiten	(1b)	ritt	(ist, hat) geritten	reitet	reite	ritte	ride
rufen	(7a)	rief	gerufen	ruft	rufe	riefe	call
schaffen	(6b)	schuf	geschaffen	schafft	schaffe	schüfe	create
scheinen	(1a)	schien	geschienen	scheint	scheine	schiene	shine; seem
schelten	(4b)	schalt	gescholten	schilt	schilt	schölte	scold
schlagen	(6a)	schlug	geschlagen	schlägt	schlage	schlüge	beat
schließen	(2b)	schloß	geschlossen	schließt	schließe	schlösse	close
schreiben	(1a)	schrieb	geschrieben	schreibt	schreibe	schriebe	write
schreien	(1a)	schrie	geschrieen	schreit	schreie	schriee	scream
schwimmen	(3)	schwamm	(ist) geschwommen	schwimmt	schwimme	schwömme (ä)	swim
sehen	(5a)	sah	gesehen	sieht	sieh	sähe	see
sein	(irr.)	war	(ist) gewesen	ist	sei	wäre	be
singen	(3)	sang	gesungen	singt	singe	sänge	sing
sinken	(3)	sank	(ist) gesunken	sinkt	sinke	sänke	sink
sitzen	(5b)	saß	gesessen	sitzt	sitze	säße	sit
sprechen	(4b)	sprach	gesprochen	spricht	sprich	spräche	speak
stehen	(irr.)	stand	gestanden	steht	stehe	stände (ü)	stand
steigen	(1a)	stieg	(ist) gestiegen	steigt	steige	stiege	climb
sterben	(4b)	starb	(ist) gestorben	stirbt	stirb	stürbe	die

INFIN.	(CLASS)	PAST	PAST PART.	3D SG. PRES.	IMP. SG.	SUBJ. 2	MEANING
stoßen	(7a)	stieß	gestoßen	stößt	stoße	stieße	*push*
streiten	(1b)	stritt	gestritten	streitet	streite	stritte	*quarrel*
tragen	(6a)	trug	getragen	trägt	trage	trüge	*carry*
treffen	(4b)	traf	getroffen	trifft	triff	träfe	*hit; meet*
treten	(5a)	trat	(ist, hat) getreten	tritt	tritt	träte	*step; kick*
trinken	(3)	trank	getrunken	trinkt	trinke	tränke	*drink*
tun	(irr.)	tat	getan	tut	tu(e)	täte	*do*
verbergen	(4b)	verbarg	verborgen	verbirgt	verbirg	verbürge	*hide*
verbieten	(2a)	verbot	verboten	verbietet	verbiete	verböte	*forbid*
vergessen	(5b)	vergaß	vergessen	vergißt	vergiß	vergäße	*forget*
verlieren	(2a)	verlor	verloren	verliert	verliere	verlöre	*lose*
verschwinden	(3)	verschwand	(ist) verschwunden	verschwindet	verschwinde	verschwände	*disappear*
vertreiben	(1a)	vertrieb	vertrieben	vertreibt	vertreibe	vertriebe	*drive away*
wachsen	(6b)	wuchs	(ist) gewachsen	wächst	wachse	wüchse	*grow*
waschen	(6b)	wusch	gewaschen	wäscht	wasche	wüsche	*wash*
werden	(4b)	(ward) wurde	(ist) geworden	wird	werde	würde	*become*
werfen	(4b)	warf	geworfen	wirft	wirf	würfe	*throw*
ziehen	(2a)	zog	(hat; ist) gezogen	zieht	ziehe	zöge	*pull; move*

148. Irregular weak verbs

INFIN.	PAST	PAST PART.	SUBJ. 2	
brennen	brannte	gebrannt	brennte	*burn*
kennen	kannte	gekannt	kennte	*know*
nennen	nannte	genannt	nennte	*name*
rennen	rannte	(ist) gerannt	rennte	*run*
senden	sandte	gesandt	sendete	*send*
wenden	wandte	gewandt	wendete	*turn*
bringen	brachte	gebracht	brächte	*bring*
denken	dachte	gedacht	dächte	*think*
wissen	wußte	gewußt	wüßte	*know*

149. Modal auxiliaries and wissen

INFIN.						
dürfen	**können**	**mögen**	**müssen**	**sollen**	**wollen**	**wissen**
be allowed to	*be able to*	*like (to)*	*have to*	*be (supposed) to*	*want (to)*	*know*

PRES.						
I may	*can*	*like (to)*	*must*	*am to*	*want (to)*	*know*
ich darf	kann	mag	muß	soll	will	weiß
du darfst	kannst	magst	mußt	sollst	willst	weißt
er darf	kann	mag	muß	soll	will	weiß
wir dürfen	können	mögen	müssen	sollen	wollen	wissen
ihr dürft	könnt	mögt	müßt	sollt	wollt	wißt
sie dürfen	können	mögen	müssen	sollen	wollen	wissen

SUBJ. 1						
er dürfe	könne	möge	müsse	solle	wolle	wisse

PAST						
er durfte	konnte	mochte	mußte	sollte	wollte	wußte
he was allowed to	*could*	*liked (to)*	*had to*	*was to*	*wanted (to)*	*knew*

SUBJ. 2						
er dürfte	könnte	möchte	müßte	sollte	wollte	wüßte
he would be allowed to	*could*	*would like (to)*	*would have to*	*ought to*	*would want (to)*	*would know*

PRES. PERF.

er hat gedurft,[1] gekonnt,[1] gemocht,[1] gemußt,[1] gesollt,[1] gewollt,[1] gewußt
he has been allowed to, been able to, liked (to), had to, been supposed to,
wanted (to), known.

PAST PERF.

er hatte gedurft,[1] gekonnt,[1] gemocht,[1] gemußt,[1] gesollt,[1] gewollt,[1] gewußt
he had . . .

[1] In the double infinitive construction the past participles of the modals
(not of **wissen**) take infinitive form (§ 99).

PAST SUBJ.   er habe (hätte) gedurft,[1] gekonnt,[1] etc.; gewußt

FUT.   er wird dürfen, können, etc.   *he will be allowed to, able to, etc.*

FUT. SUBJ.   er werde (würde) dürfen, können, etc.

FUT. PERF.   er wird gedurft [1] (gekonnt,[1] etc.) haben   *he will have been allowed to (able to, etc.)*

150. Summary of word order

General rule. The important elements are at the beginning and at the end (in English they are at the beginning).

A. Principal clause

(1) Verb second: Er **ist** heute in die Stadt gegangen.

Heute **ist** er in die Stadt gegangen.

In die Stadt **ist** er heute gegangen.

Wenn er kommt, (so) **gehe** ich.

„Zu spät!" **sagte** er.

Warum **kommt** er nicht?

Es **lebe** die Republik!

(2) Verb first: **Kommt** er bald?

Gehen wir!

Kommen Sie!

B. Subordinate clause

(1) Verb last: Wenn er gekommen **wäre,** (so) wäre ich gegangen.

Er tat, als ob er das immer gewußt **hätte.**

Er fragte, ob ich das gesehen **hätte.**

Das Buch, das ich **lese,** ist interessant.

(2) Verb first: **Wäre** er gekommen, so wäre ich gegangen.

(3) Verb second: Er erzählte, er **habe** (hätte) ihn auf der Straße getroffen.

Er erzählte, heute **sei** er in die Stadt gegangen.

Er tat, als **hätte** er das immer gewußt.

C. Principal and subordinate clause

(1) Infinitives and participles at or near end:

Er wird **schlagen** *He will beat.*

Er wird **geschlagen.** *He is (being) beaten.*

Er wird [1]**geschlagen** [2]**worden** [3]**sein.** *He will* [3]*have* [2]*been* [1]*beaten.*

Er erzählte, daß er **schlagen** werde.

Er erzählte, daß er **geschlagen worden** sei.

Vor Freude **lachend,** kam er in das Zimmer.

Von ihrem Manne **geführt,** kam sie . . .

---

[1] In the double infinitive construction the past participles of the modals (not of **wissen**) take infinitive form (§ 99).

(2) Double infinitive at the very end:

Ich werde es **lernen müssen.**

Ich habe es **tun müssen.**

Er sagte, daß er es werde **lernen müssen.**

Er sagte, er habe es **tun müssen.**

Er sagte, daß er es habe **tun müssen.**

Er sagte, daß er es hätte **tun können,** wenn er Zeit gehabt hätte.

(3) Separable prefixes at or near end:

Er steht nie früh **auf.**

Er kann nicht früh **aufstehen.**

Heute ist er früh **aufgestanden.**

Er erzählte, daß er heute früh **aufgestanden** sei.

(4) (a) Indirect object (dative) before direct (accusative):

Er gab **dem Professor** sein Heft.

Er sagte, daß er **ihm** sein Heft gegeben habe.

(b) Direct object pronoun before indirect:

Er gab **es** dem Professor.

Er sagte, daß er **es** ihm gegeben habe.

(5) Time before place:

Er ist **heute** in die Stadt gegangen.

    BUT **In die Stadt** ist er **heute** gegangen (*A* 1).

Er sagte, er wäre **heute** in die Stadt gegangen.

(6) (a) **Nicht, nie** before specifically negated item:

Wir lernen **nicht** Spanisch, sondern Deutsch.

(b) Otherwise **nicht, nie** at or rather near end:

Ich weiß es **nicht.**

Ich kann es **nicht** lernen.

Er sagte, er wisse es **nicht.**

Er glaubte, er würde es **nie** lernen können.

(7) Reflexive pronoun early:

Erinnerst du **dich** daran?

Ich kann **mich** nicht daran erinnern.

Er sagt, er könne **sich** nicht daran erinnern.

Er sagt, daß er **sich** nicht daran erinnern kann.

(8) Verb complements at or near end (items which complete the idea of insufficiently specific verbs like *be, become, feel*):

Deutschland **ist** nach Osten und Westen **offen.** *Germany is open toward the east and west.*

Jeder weiß, daß Deutschland nach Westen **offen ist.**

Er **fühlt sich** heute nicht **wohl.** *He does not feel well today.*

Sie **ist** meistens **zu Hause.** *She is at home most of the time.*

Er ist aus Angst vor der Prüfung **krank geworden.** *He has become ill from fear of the examination.*

GERMAN PRINT

The following reading selections are printed in a type which was originally not German but internationally northern European. In English it is known as black letter, Gothic, or Old English, and is still in limited use for the titles of newspapers and other ornamental scripts. In German it was used until recently for books and newspapers, along with the modern international roman type. To read German books published up to World War II it is necessary to have practice in reading "German" type.

"German" Letters	German Names	Roman Letters		"German" Letters	German Names	Roman Letters	
𝔄 𝔞	ah	A	a	𝔑 𝔫	enn	N	n
𝔅 𝔟	ba(y)*	B	b	𝔒 𝔬	oh*	O	o
ℭ 𝔠	tsa(y)*	C	c	𝔓 𝔭	pa(y)*	P	p
𝔇 𝔡	da(y)*	D	d	𝔔 𝔮	koo	Q	q
𝔈 𝔢	a(y)*	E	e	𝔑 𝔯	err [1]	R	r
𝔉 𝔣	eff	F	f	𝔖 ſ 𝔰 [2]	ess	S	s
𝔊 𝔤	ga(y)*	G	g	𝔗 𝔱	ta(y)*	T	t
𝔥 𝔥	hah	H	h	𝔘 𝔲	oo	U	u
𝔍 𝔦	ee	I	i	𝔙 𝔳	fow [3]	V	v
𝔍 𝔧	yawt	J	j	𝔚 𝔴	va(y)*	W	w
𝔎 𝔨	kah	K	k	𝔛 𝔵	iks	X	x
𝔏 𝔩	ell	L	l	𝔜 𝔶	ipsilon	Y	y
𝔐 𝔪	emm	M	m	𝔷 𝔷	tset	Z	z

COMBINED LETTERS

ch	tsa(y)-hah'	ch		ß [4]	ess-tset'	ß
ck	tsa(y)-kah'	ck		ſt	ess-ta(y)	st
				tz	ta(y)-tset'	tz

MODIFIED VOWELS

𝔄̈ ä	ah-umlaut	Ä ä		ü ü	oo-umlaut	Ü ü
𝔒̈ ö	oh-umlaut	Ö ö		𝔄̈u äu	ow-umlaut	Äu äu

* There is no off-glide to i or u.

[1] As in *errand*. [2] Long ſ is used at the beginning, round 𝔰 ("𝔖𝔠𝔥𝔩𝔲ß=𝔰") at the end of a syllable. [3] As in *fowl*. [4] ß, originally a combination of long ſ and short 𝔰, is equivalent to ſſ; ſſ is used before vowels after short vowels, otherwise ß. In Latin script write ß as ß or ss (not sz).

Few of the letters present difficulties. Notice the shape of 𝕾 S
and study the differences between 𝕬 A — 𝖀 U; 𝕭 B — 𝕭 V;
ℭ C — ℭ E — 𝕲 G; 𝕶 K — 𝕽 R; 𝖋 k — 𝖙 t; 𝖗 r — 𝖝 x; 𝖒 m — 𝖜 w;
and particularly 𝖘 s — 𝖋 f.

Read:

Sage; Arzt, Uhr, Antwort, Unsinn; Bad, Vater, Bahn, Volk;
Chor, Ehre, Gegner, Chemie, Ecke, Gras; Kaiser, Reise; kaufen, taufen
baptize, kosten, töten; Herr, Hexe, Art *sort*, Axt *ax*; mehr, wer, mir,
wir; sein, fein, Lust *joy*, Luft

Supplementary Readings

The following reading selections may be used either together with the individual lessons, as indicated, or as review material.

Supplement 10

Deutsche Grüße

Am Morgen grüßt[1] der Deutsche seine Familie und seine Freunde mit den Worten[2] „Guten Morgen." Am Vormittag[3] und am Nach=mittag sagt er „Guten Tag" und am Abend[4] „Guten Abend." Im Süden Deutschlands sagt man statt dessen oft „Grüß Gott!"[5] Beim Abschied[6] sagt man „Auf Wiedersehen" und am späten Abend „Gute Nacht."

Man fragt den andern: „Wie geht es Ihnen?" oder „Wie geht's?" Die Antwort ist sehr oft „Ziemlich gut." Ist der Deutsche zu höflich[7] oder zu ehrlich,[8] um zu[9] sagen: „Es geht mir gut"?

Wenn man einem andern einen Freund vorzustellen wünscht, fragt man: „Darf ich vorstellen?"

Es ist ein wenig schwer, das deutsche „danke" zu verstehen. Es bedeutet[10] nicht nur: „Ich danke Ihnen," sondern[11] auch: „Ich nehme lieber nichts, aber ich danke Ihnen doch."

Die höchsten[12] Festtage[13] in Deutschland sind Ostern,[14] Pfingsten[15] und Weihnachten.[16] Diese Feste haben je[17] zwei Tage. Zu Ostern grüßt man sich mit „Fröhliche[18] Ostern" und zu Weihnachten mit „Fröh=liche Weihnachten!" Zum neuen Jahr wünscht man seinen Freunden „ein glückliches neues Jahr!" oder sagt „Prosit[19] Neujahr!"

[1] grüßen greet. [2] das Wort word. [3] der Vormittag forenoon, morning. [4] der Abend evening. [5] Grüß Gott *South German greeting.* [6] der Abschied departure; beim Abschied when taking leave. [7] höflich polite. [8] ehrlich honest. [9] um ... zu (in order) to. [10] bedeuten mean. [11] sondern but. [12] höchst– highest, *here* most important. [13] der Festtag holiday. [14] Ostern (*plur.*) Easter. [15] Pfingsten (*plur.*) Pentecost. [16] Weihnachten (*plur.*) Christmas. [17] je each. [18] fröhlich merry, happy. [19] Prosit (*Latin*) may it be profitable.

Supplement 11

Noch eine [1] Fabel von Lessing

Unter den vielen Fabeln von Lessing ist eine mit dem Titel [2] „Der Fuchs [3] und der Storch. [4] "

Der Storch ist von seiner Reise nach dem Süden in seine Heimat im Norden zurückgekehrt. Da trifft er den Fuchs. Dieser sagt sehr freundlich zu ihm: „Mein lieber Storch, du warst den ganzen Winter im Süden. Du hast viele Länder gesehen. [5] Erzähle mir von deinen Erlebnissen [6] auf der Reise!" Da nennt ihm der Storch jede Pfütze [7] und jede feuchte [8] Wiese, [9] wo er die besten Würmer [10] und die fettesten [11] Frösche [12] fand.

„Mein Herr," fragt Lessing, „Sie waren längere Zeit in Paris, nicht wahr? Sie kennen sicher die besten Restaurants und die besten Weine [13] des Landes, nicht wahr?"

Lessing fragt nicht: „Was sahen Sie Neues und Schönes in Paris?" Er meint natürlich: „Wegen der Restaurants und wegen der Weine braucht man keine Reise nach Paris zu machen. Es gibt [14] dort Wichtigeres [15] zu sehen."

Supplement 12

Gauß

Von Karl Friedrich Gauß, einem deutschen Mathematiker [1] und Physiker [2] der ersten Hälfte des 19. Jahrhunderts (1777–1855), erzählt man die folgende Geschichte aus seiner Schulzeit. [3] In der Mathematikstunde [4] gab der Lehrer seinen Schülern die Aufgabe, die Zahlen von eins bis 29 zusammenzuzählen. [5] Die anderen Schüler schrieben [6] die dreißig Zahlen auf ihre Tafeln [7] und begannen [8] zu addieren. [9] Sie addierten zehn bis fünfzehn Minuten lang, und dann war nur die Hälfte der Ant=

[1] noch ein one more, another.   [2] der Titel title.   [3] der Fuchs fox.   [4] der Storch stork.   [5] gese'hen seen.   [6] das Erlebnis experience.   [7] die Pfütze puddle.   [8] feucht humid, moist.   [9] die Wiese meadow.   [10] der Wurm worm.   [11] fett fat.   [12] der Frosch frog.   [13] der Wein wine.   [14] es gibt there is.   [15] wichtig important.

[1] der Mathema'tiker mathematician.   [2] der Physiker physicist.   [3] die Schulzeit school years.   [4] die Mathematik'stunde mathematics class.   [5] zusam'men=zählen add.   [6] schrieb past of schreiben.   [7] die Tafel slate.   [8] begann' past of beginnen.   [9] addie'ren add.

worten [10] richtig.[11]   Der kleine Gauß aber kam [12] schon nach drei Minuten an den Tisch des Lehrers; er hatte nur einige Zahlen auf seiner Tafel, aber seine Antwort war richtig, nämlich 435.

Der erstaunte [13] Lehrer fragte ihn: „Wie kommst du so schnell zu der richtigen Antwort?" „Das ist nicht schwer, Herr Lehrer. Sie sehen, eins plus 29 ist 30; zwei plus 28 ist 30 usw. 29 dividiert [14] durch zwei ist 14, Rest [15] eins. Ich rechne [16] also 14 mal [17] 30 ist 420; dann addiere ich die 15; denn wir haben nur eine 15. So bekomme ich 435 als die Summe [18] aller Zahlen von eins bis 29." „Gut," sagte der Lehrer, „dann kannst du mir vielleicht auch dies schnell sagen: wieviel ist die Summe der Zahlen von 1 bis 99?" „Ja," sagte der Kleine, „99 durch zwei ist 49, Rest eins. 49 mal 100 ist 4900, plus 50 ist 4950. Das ist die Antwort." „Sehr gut," sagte der Lehrer. Aber er sagte nicht: „Deine Art [19] zu rechnen ist mir ganz neu;" doch dachte [20] er bei sich: „Bald werde ich von meinem Schüler Mathematik lernen müssen.[21]"

Supplement 13

Drei Ohrfeigen [1]

Ein älterer Freund erzählte uns die folgende Geschichte aus seiner Jugend:[2] Damals brachten [3] die Bauern [4] noch selbst die Milch [5] auf ihren kleinen Wagen [6] in die Stadt. Solch ein Wagen stand [7] jeden Morgen vor unserer Schule, und jeden Morgen quälten [8] die Schüler den armen Esel. Dann verschwanden sie; denn die Lehrer hatten streng verboten, das Tier zu quälen.

Ich aber quälte den Esel nie, sondern [9] ging [10] ruhig weiter [11] in das Schulhaus.[12] So bekam ich eines Tages eine Ohrfeige von dem Bauern statt der anderen Schüler. Schreiend [13] lief [14] ich ins Schulhaus. Dort kam gerade [15] ein Lehrer mit seinen Büchern. Ich sah ihn nicht und

---

[10] die Antwort answer.   [11] richtig right, correct.   [12] kam *past of* kommen. [13] erstaunt' astonished, surprised.   [14] dividie'ren durch divide by.   [15] der Rest rest, remainder.   [16] rechnen figure, calculate.   [17] mal times.   [18] die Summe sum.   [19] die Art manner, kind.   [20] dachte *past of* denken; dachte bei sich thought to himself.   [21] müssen have to.

[1] die Ohrfeige box on the ear, slap.   [2] die Jugend youth.   [3] brachte *past of* bringen bring, take.   [4] der Bauer farmer, peasant.   [5] die Milch milk. [6] der Wagen carriage.   [7] stand *past of* stehen stand.   [8] quälen torture, torment. [9] sondern but.   [10] ging *past of* gehen go.   [11] weiter further, on.   [12] das Schulhaus school building.   [13] schreien shout, cry.   [14] lief *past of* laufen run. [15] gerade just (then).

stieß [16] gegen ihn.   Da fielen [17] seine Bücher zur Erde,[18] und ich bekam
von ihm die zweite Ohrfeige.

Da schrie [19] ich noch mehr.   Der Direktor [20] hörte mein Schreien,[21]
kam aus seinem Büro und fragte: „Warum schreist du so?"   Ich ant=
wortete: „Der Lehrer hat mir eine Ohrfeige gegeben; aber ich habe dem
Esel nichts getan."   Da gab mir der Direktor die dritte Ohrfeige.

Drei Ohrfeigen habe ich als unschuldiger [22] Knabe an einem Morgen
bekommen; und doch hatte ich weder [23] dem Esel, noch [23] dem Lehrer,
noch dem Direktor etwas getan.

Supplement 14

Eine Tasse Kaffee

Eine Geschichte aus der guten alten Zeit.

Endlich schien die Sonne wieder nach dem langen Winter.   So
beschloß [1] Frau Müller, ihre alte Freundin,[2] Frau Schmidt, einmal
wieder zu besuchen.   Diese begrüßte [3] sie herzlich und führte [4] sie in ihr
bestes Zimmer.   Dort saßen sie zuerst eine halbe Stunde auf dem Sofa [5]
und sprachen über das Wetter und ihre Männer.   Dann sagte Frau
Schmidt: „Warten Sie ein paar Minuten!   Ich mache Ihnen schnell eine
Tasse Kaffee."   Frau Müller bat sie: „Geben Sie mir nur eine Tasse
kalten [6] Kaffee!"

Frau Schmidt fand aber keinen Kaffee in der Küche.   Deshalb [7] lief
sie zum nächsten Laden, um Kaffee zu kaufen.   Dann kochte [8] sie Kaffee
und ließ kaltes Wasser über den Topf laufen.   Dann lief sie wieder in
den Laden und kaufte ein großes Stück Eis.[9]   Das Eis schlug sie in kleine
Stücke und ließ den Kaffee über das Eis laufen.   Sie zerbrach [10] einige
Tassen und Teller.   Sie selbst schwamm in Eis und Wasser, aber der
Kaffee wurde endlich kalt.   Dann ging sie zurück [11] ins Zimmer zu Frau
Müller und gab ihr den Kaffee.   Diese nahm ihn und sprach: „Ich trinke
lieber heißen [12] Kaffee, aber ich wollte Ihnen keine Arbeit [13] machen."
Frau Schmidt hörte diese Worte und brach [14] auf dem Sofa zusammen.[14]

[16] stieß *past of* stoßen hit, bump.   [17] fiel *past of* fallen fall.   [18] die Erde
ground; zur Erde to the ground.   [19] schrie *past of* schreien.   [20] der Direk'tor
director, principal.   [21] das Schreien shouting, crying.   [22] unschuldig innocent.
[23] weder ... noch neither ... nor.

[1] beschlie'ßen decide.   [2] die Freundin friend (*fem.*).   [3] begrü'ßen greet.
[4] führen lead.   [5] das Sofa sofa.   [6] kalt cold.   [7] deshalb therefore.   [8] kochen
cook.   [9] das Eis ice.   [10] zerbre'chen break (to pieces).   [11] zurück'=gehen go
back, return.   [12] heiß hot.   [13] die Arbeit work, labor.   [14] zusam'men=
brechen break down, collapse.

Supplement 15

Aus Friedrich Hebbels Kindheit [1]

Friedrich Hebbel, einer der besten deutschen Dramatiker [2] des 19. Jahr=
hunderts, war der Sohn sehr armer [3] Eltern. Er selbst erzählt unter
anderm folgendes aus seiner Kindheit:

Mein Vater war sehr ernst,[4] aber er redete gerne. Er soll [5] gut
Märchen [6] erzählt haben. Aber lange Jahre [7] bekamen wir keine von
ihm zu hören; [8] denn er wollte nicht, daß wir lachten oder zu fröhlich
waren. Doch am Abend sang er gern mit uns. Meine Mutter war sehr
gut zu uns, und mich liebte [9] sie mehr als meinen Bruder; denn ich glich [10]
ihr; mein Bruder schien mehr meinem Vater zu gleichen.

Meine Eltern lebten im besten Frieden miteinander,[11] wenn genug
Brot [12] im Hause war; und das war im Sommer, wenn mein Vater
genug Arbeit hatte. Im Winter aber hatte er oft keine Arbeit. Dann
stritten [13] sich die Eltern, und das machte mich sehr traurig. Darum
schweige [14] ich lieber davon; [15] denn das Andenken [16] der Eltern muß uns
heilig [17] sein und bleiben.

Wir konnten nur einmal am Tage richtig essen. Manchmal kehrte
der Vater spät von der Arbeit zurück; dann aßen wir mittags nur ein
Butterbrot.[18] Einmal aber wollte die Mutter uns eine besondere [19]
Freude machen und machte Pfannkuchen [20] für uns Kinder. Wir aßen
sie mit großem Appetit und versprachen ihr, dem Vater nichts davon zu
sagen. Der Vater kam an diesem Abend erst sehr spät nach Hause. Wir
lagen schon in tiefem [21] Schlaf.[22] Er aber nahm mich auf seine Arme und
fragte mich: „Was hast du heute gegessen?" „Pfannkuchen," antwortete
ich halb im Schlaf. Dann begann der Vater, sich mit der Mutter zu
streiten, und sie gab mir am folgenden Morgen mit der Rute [23] eine
Lehre [24] im Schweigen.[25] Doch zu anderen Zeiten bestand [26] sie auf der
strengsten Wahrheitsliebe.[27] Widersprüche [28] wie diese haben mir aber im
Leben nicht geschadet.[29]

---

[1] die Kindheit childhood.   [2] der Drama'tiker dramatist.   [3] arm poor.
[4] ernst serious.   [5] sollen *here* be said to.   [6] das Märchen fairy tale.   [7] lange
Jahre for many years.   [8] hören hear.   [9] lieben love.   [10] gleichen + *dat.* be
like.   [11] miteinan'der with one another.   [12] das Brot bread.   [13] sich streiten
quarrel, fight.   [14] schweigen be silent.   [15] davon of it, about it.   [16] das
Andenken memory.   [17] heilig holy, sacred.   [18] das Butterbrot sandwich.
[19] besonder- special, particular.   [20] der Pfannkuchen pancake.   [21] tief deep.
[22] der Schlaf sleep.   [23] die Rute rod.   [24] die Lehre lesson.   [25] das Schweigen
silence, discretion.   [26] beste'hen auf + *dat.* insist on.   [27] die Wahrheitsliebe
love of truth, truthfulness.   [28] der Widerspruch contradiction, inconsistency.
[29] schaden damage, hurt.

Schon als Knabe erfuhr Hebbel die Härte [30] und die Konflikte [31] des Lebens. An ihnen wuchs der spätere große Dramatiker heran.

Supplement 16

Thomas Mann: „Tonio Kröger"

Der Künstler [1] ist ein verirrter Bürger,[2] sagt Lisaweta in Thomas Manns Novelle [3] „Tonio Kröger." Ein verirrter Bürger ist ein Mensch, der zuviel Gefühl [4] und zu wenig Vitalität [5] hat. Er ist ein Mensch, der wie andere sein möchte, aber nicht wie andere sein kann. Schon der Name Tonio Kröger trennt [6] den Knaben von den andern Schülern. Kröger ist der Name einer kräftigen [7] alten Bürgerfamilie.[8] Aber Tonio ist ein Name, dessen man sich schämen [9] muß; es ist ein Name, der sich aus dem Süden nach Norddeutschland verirrt [10] hat; es ist der Name, den eine italienische [11] Mutter dem Knaben gegeben hat.

Tonio hat einen Freund, der reitet, schwimmt [12] und Pferdebücher [13] liest und doch der Erste in der Klasse ist. Tonio aber legt sich am Strande [14] in die Sonne und träumt.[15] Er liest keine Pferdebücher, sondern Schillers Drama [16] „Don Carlos," in dem der König [17] weint,[18] den sein einziger [19] Freund verraten [20] hat.

Tonio liebt die gesunde,[21] blonde [22] Inge Holm, die aber beim Tanze [23] nur Augen für den Lehrer, Herrn Knaak, hat. Bei der Quadrille [24] verirrt Tonio sich unter die Mädchen,[25] und alle lachen über den Träumer,[26] den Herr Knaak mit den sarkastischen [27] Worten zurückruft: [28] "Fräulein Kröger, zurück! Alle haben es verstanden, nur Sie nicht. Zurück mit Ihnen!"

Ein verirrter Bürger ist Tonio Kröger und bleibt es sein ganzes Leben. Niemand versteht ihn; denn er ist als Künstler geboren, der am Leben leidet [29] und sich nie des Lebens freuen kann.

Das ist Thomas Mann, wie er uns in allen seinen Werken erscheint.

[30] die Härte hardness, harshness.   [31] der Konflikt' conflict.

[1] der Künstler artist.   [2] ein verirr'ter Bürger a bourgeois gone astray. [3] die Novelle short story.   [4] das Gefühl' feeling, sentiment.   [5] die Vitalität' vitality.   [6] trennen separate.   [7] kräftig energetic, vigorous.   [8] die Bür'ger= fami'lie middle-class family.   [9] sich schämen + gen. be ashamed of.   [10] sich verir'ren lose one's way, go astray.   [11] italie'nisch Italian.   [12] schwimmen swim.   [13] das Pferdebuch book about horses.   [14] der Strand beach.   [15] träu= men dream.   [16] das Drama drama.   [17] der König king.   [18] weinen weep. [19] einzig only, single.   [20] verra'ten betray.   [21] gesund' healthy.   [22] blond blond.   [23] der Tanz dance.   [24] die Quadrille (pron. kvadril'je) name of a square dance.   [25] das Mädchen girl.   [26] der Träumer dreamer.   [27] sarka= stisch sarcastic.   [28] zurück'=rufen call back.   [29] leiden an + dat. suffer from.

Supplement 17

Der Teufel [1] und der Bau [2] des Kölner [3] Doms

Der Bau des Kölner Doms begann im 13. Jahrhundert; aber bis zum 19. Jahrhundert waren von der mächtigen [4] Kirche [5] nur der Chor [6] und der untere [7] Teil der Türme [8] zu sehen.[9] Das Volk fragte sich lange Zeit, warum man nicht weiterbaute.[10] Endlich fand es eine befriedigende Erklärung: [11] der Teufel war im Spiele, der nicht wollte, daß man eine so große und schöne Kirche baute.[12] Es entstand [13] die Sage vom Dombau.

Nach dieser Sage kam der Teufel zum Baumeister [14] Gerhard und sprach zu ihm: „Ehe [15] du den Dom vollenden [16] wirst, wirst du vom Dome aus die Enten [17] sehen, die durch einen unterirdischen [18] Kanal [19] von Trier unter den Bergen hindurch [20] nach Köln geschwommen sind." Meister Gerhard wollte dem Teufel nicht glauben, daß er solch ein Werk vollbringen [21] konnte, und erklärte: „Du sollst meine Seele haben, wenn es dir gelingt."

In kürzester Zeit jedoch [22] hatte der Teufel den Kanal vollendet. Aber die Enten schwammen nur ein kleines Stück in den dunklen [23] Kanal hinein [24] und kehrten immer wieder nach Trier zurück. Meister Gerhard wußte,[25] warum sie nicht weiter schwammen: der Teufel hatte die Luftlöcher [26] vergessen.

In der Verzweiflung ging der Teufel zu der Frau des Meisters, um das Geheimnis [27] durch sie zu erfahren.[28] Sie fragte den Mann, der jedoch das Geheimnis lange Zeit für sich behielt.[29] Da sie aber nicht aufhörte zu fragen, verriet er endlich sein Geheimnis. Er verbot [30] ihr aber, es irgendeinem [31] Menschen zu verraten. Da nun der Teufel ihr guter Freund geworden war, erfuhr er sehr bald, warum die Enten immer wieder nach Trier zurückkehrten.

Bald hatte der Teufel die Luftlöcher fertig. Als aber Meister Gerhard

---

[1] der Teufel devil.   [2] der Bau building.   [3] Kölner (of) Cologne. [4] mächtig powerful, mighty.   [5] die Kirche church.   [6] der Chor (*pron.* k—) choir.   [7] unter– lower.   [8] der Turm tower.   [9] es ist zu sehen it is to be seen, can be seen, is visible.   [10] weiter=bauen continue to build.   [11] die Erklä'rung explanation.   [12] bauen build.   [13] entste'hen originate, develop.   [14] der Baumeister builder, architect.   [15] ehe before.   [16] vollen'den complete. [17] die Ente duck.   [18] unterirdisch subterranean.   [19] der Kanal' canal, channel. [20] hindurch' through.   [21] vollbrin'gen accomplish.   [22] jedoch' however.   [23] dunkel dark.   [24] hinein' in.   [25] wußte *past of* wissen know.   [26] das Luftloch air hole, vent.   [27] das Geheim'nis secret.   [28] erfahren learn, find out. [29] behal'ten keep.   [30] verbie'ten forbid.   [31] irgendein any.

von einem der unvollendeten [31] Türme die Enten heranschwimmen [32] sah,
stürzte er sich in den Tod.

Heute weiß man, daß die Stadt Köln kein Geld mehr hatte, den
Dom weiterzubauen. Das Mittelalter aber gab dem Teufel die Schuld.

Supplement 18

Schiller: „Maria Stuart"

Schiller sagt in einer seiner philosophischen [1] Abhandlungen: [2] Wenn [3]
der Mensch auch [3] nur in einem Punkte nicht frei ist, so hat er seine
menschliche [4] Würde [5] verloren. Sogar [6] über seinen Tod muß er freier
Herr sein können. Das aber kann der Mensch nur, wenn er den Tod in
seinen Willen aufnimmt. [7] Was Schiller damit meint, hat er in seiner
Tragödie „Maria Stuart" gezeigt.

Maria Stuart ist das Beispiel [8] eines Menschen, der in dem Augen=
blicke seine größte Freiheit gewinnt, als er dem Tode nicht mehr ent=
fliehen [9] kann. Nachdem sie an dem leichtsinnigen [10] französischen Hofe [11]
ihre Jugend verbracht hatte, hatte sie Lord Darnley geheiratet. [12] Da sie
diesen grausamen [13] Menschen nicht lieben konnte, hatte sie ihn in Schottland
mit Bothwells Hilfe getötet und den Mörder geheiratet. Als sie dann
Bothwell vor den schottischen [14] Gerichten [15] schützen wollte, hatte sie nach
England fliehen müssen. Hier aber ließ Königin [16] Elisabeth sie gefangen
nehmen [17] und wegen Hochverrat [18] zum Tode verurteilen, [19] da sie Maria
als Rivalin [20] fürchtete. [21] Natürlich konnte Maria in einem fremden
Lande keinen Hochverrat begehen, [22] und das Todesurteil [23] war ein
politischer [24] Mord. [25]

Maria kämpfte zuerst gegen das ungerechte [26] Urteil. [27] Aber bald
mußte sie erkennen, daß der Kampf vergeblich [28] war und daß sie ihr

---

[31] un'vollen'det unfinished.   [32] heran'=schwimmen swim up, approach
swimming.

[1] philoso'phisch philosophical.   [2] die Abhandlung treatise.   [3] wenn auch
here if even.   [4] menschlich human.   [5] die Würde dignity.   [6] sogar' even.
[7] auf=nehmen receive, accept.   [8] das Beispiel example.   [9] entflie'hen
escape.   [10] leichtsinnig frivolous.   [11] der Hof courtyard; Court.   [12] heiraten
marry.   [13] grausam cruel.   [14] schottisch Scotch, Scottish.   [15] das Gericht'
court.   [16] die Königin queen.   [17] gefangen nehmen take prisoner.   [18] der
Hochverrat high treason.   [19] verur'teilen sentence, condemn.   [20] die Riva'lin
rival (fem.).   [21] fürchten fear.   [22] begehen commit (a crime).   [23] das
Todesurteil death sentence.   [24] poli'tisch political.   [25] der Mord murder.
[26] ungerecht unjust.   [27] das Urteil judgment; sentence.   [28] vergeb'lich in vain.

Schickfal nicht ändern [29] konnte. Wie konnte sie dann noch frei sein? Welche Wahl hatte sie noch, wenn sie sterben [30] mußte? Nach Schiller gab es auch jetzt noch eine Wahl: sie konnte verzweifeln [31] und sich wie ein Tier schlachten [32] laffen; oder sie konnte ihrem Tode einen Sinn zu geben verfuchen. Diefen Sinn gab sie dem Tode, als sie sich entschloß, [33] ihn als Strafe [34] für ihre Teilnahme [35] am Morde Darnleys auf sich zu nehmen. Mit einem letzten Gruß an Elifabeth, ihre „königliche [36] Schwefter", ging sie in den Tod.

Ohne Zweifel [37] wollte Schiller, daß wir uns am Ende feines Dramas fragen: Dürfen wir Elifabeth frei nennen, da sie die Macht hatte, ihre Rivalin zu töten? War Maria frei, als sie erlaubte, daß Bothwell Lord Darnley tötete? Oder wurde sie erft dann frei, als sie den Tod als Strafe für ihre Schuld auf sich nahm?

Supplement 19

Kant *: „Zum [1] ewigen [2] Frieden"

Am Ende des 18. Jahrhunderts erschien die kleine Schrift [3] des Philofophen Immanuel Kant „Zum ewigen Frieden." Kant hatte über die Geschichte der Menschheit nachgedacht [4] und erkannt, daß die Kriege immer schlimmer wurden. Jedesmal, [5] wenn ein Krieg zwischen zwei Völkern entbrannte, [6] wandte er sich bald auch gegen andere Völker. Kant fragte sich: Wird es der Menschheit je gelingen, dauernd [7] im Frieden zu leben? Wenn es ihr nicht gelingt, bleibt ihr nur der ewige Friede auf dem Friedhof [8] der Menschheit. So dachte Kant im 18. Jahrhundert, als es noch keine Atom= [9] und Wafferftoffbomben [10] gab. Er mußte, daß in einem Kriege immer beide Parteien verlieren, während es heute noch viele Menschen gibt, die glauben, daß man einen Krieg gewinnen kann.

Die größte Gefahr [11] für den Frieden nannte Kant die abfoluten [12]

* Imma'nuel Kant, Königsberg (East Prussia), 1724–1804.

[29] ändern change. [30] sterben die. [31] verzwei'feln despair. [32] schlachten slaughter. [33] sich entschlie'ßen make up one's mind. [34] die Strafe punishment. [35] die Teilnahme participation. [36] königlich royal. [37] der Zweifel doubt.

[1] zu here about. [2] ewig eternal, perpetual; *notice that German does not capitalize adjectives in titles and headlines.* [3] die Schrift script, writing, treatise. [4] nach=denken think over, ponder. [5] jedesmal every time. [6] entbren'nen flare up, break out. [7] dauernd lasting. [8] der Friedhof cemetery. [9] die Atom'bombe atom bomb. [10] die Wafferftoffbombe hydrogen bomb. [11] die Gefahr danger. [12] abfolut' absolute.

Herrscher,[13] da diese keine Rücksicht [14] auf ihr Volk kannten und Tausende in den Tod sandten, wenn es ihnen gefiel. Das brachte ihn auf den Gedanken, daß sich die freien Völker zusammenschließen und auf alle Kriege untereinander [15] verzichten [16] sollten.

Das 20. Jahrhundert hat diese Gefahr der Kriege für die Menschheit wieder erkannt. Aber ist es ihm gelungen, etwas dagegen zu tun? Hat es die Gefahr wirklich abgewandt? Oder hat es uns nur dem ewigen Frieden auf dem Friedhof der Menschheit näher [17] gebracht? Es gibt nicht mehr so viele absolute Herrscher in der Welt, aber ist die Menschheit nicht trotzdem auf dem Wege zum Untergang [18] immer weiter gerannt?

Supplement 20

Die Legende [1] von der dritten Taube [2]

Stefan Zweig (1881–1942) war ein österreichischer [3] Schriftsteller,[4] der von Hitler vertrieben [5] wurde und nach Südamerika [6] floh. Dort nahm er sich das Leben, weil er das grausame Schicksal Europas nicht länger ansehen [7] konnte. Seine Sehnsucht [8] nach Frieden hat er in der kleinen Geschichte von der dritten Taube ausgesprochen.[9]

Im ersten Buche Moses wird erzählt, daß eine Taube von Noah ausgesandt [10] wurde, als das Wasser aufgehört hatte, vom Himmel zu strömen. Diese Taube flog [11] nach allen Richtungen,[12] fand aber überall [13] nur Wasser und kehrte deshalb am Abend zur Arche [14] zurück.

Noah wartete sieben Tage, in denen das Wasser fiel. Dann sandte er eine zweite Taube aus, die am Abend zurückkam [15] und ihm einen Ölzweig [16] brachte. Da erkannte Noah, daß zwar noch Wasser auf der Erde stand, daß aber die Bäume [17] schon vom Wasser frei waren.

Noch einmal wartete Noah sieben Tage. Die dritte Taube, die dann von ihm ausgesandt wurde, kam nie zur Arche zurück. Die Bibel sagt nur, daß Noah nun mit den anderen Tieren die Arche verließ. Aber von dem Schicksal der dritten Taube wird nichts berichtet.[18] Dieses Schicksal wird von Zweig beschrieben.

[13] der Herrscher ruler.   [14] die Rücksicht regard, consideration.   [15] un'ter-einan'der among or between one another.   [16] verzich'ten auf + acc. renounce.   [17] nahe near, close.   [18] der Untergang decline, fall, destruction.

[1] die Legen'de legend.   [2] die Taube dove, pigeon.   [3] österreichisch Austrian.   [4] der Schriftsteller writer, author.   [5] vertrei'ben drive away, expel.   [6] (das) Südame'rika South America.   [7] an=sehen look at.   [8] die Sehnsucht longing.   [9] aus=sprechen pronounce; here voice.   [10] aus=senden send out.   [11] fliegen fly.   [12] die Richtung direction.   [13] überall' everywhere.   [14] die Arche ark.   [15] zurück'=kommen come back, return.   [16] der Ölzweig olive branch.   [17] der Baum tree.   [18] berich'ten report.

Als die Taube aus der Arche freigelassen worden war, freute sie sich über die klare [19] Luft, die grünen [20] Wälder und die saftigen [21] Wiesen. Lange wurde sie nicht von Menschen gestört. Als diese endlich nach vielen Jahren erschienen, waren Noah und seine Arche längst vergessen. Die Taube aber flog weiter über Länder und Meere und ließ sich in einem Walde nieder,[22] wo noch keine Menschen waren, die ihren Frieden störten. Der Tod hatte sie vergessen; sie war sicher [23] vor ihm, da sie noch die Welt vor der großen Flut [24] gesehen hatte. So vergingen [25] Jahrhunderte und Jahrtausende.

Endlich wurde auch ihr einsamer [26] Wald von den Menschen gefunden. Aber meist waren es Kinder, Liebende [27] und andere friedliche [28] Menschen, von denen der Frieden der Natur [29] nicht gestört wurde. Dann kam der große Krieg. Da begann es im Walde zu blitzen und zu donnern;[30] Bäume wurden ausgerissen [31] und in die Luft geworfen, und die Menschen töteten einander zu Tausenden.[32] Wie am Anfang der Zeiten das Wasser, so regnete nun das Feuer [33] auf die Erde, und alles wurde vernichtet.[34]

Die Taube flog über die ganze Welt, konnte aber nirgends [35] Frieden finden. Noch immer fliegt sie durch die Welt, um einen ruhigen Platz zu entdecken;[36] aber die Menschen schauen [37] vergeblich nach dem Ölzweig aus,[37] der ihnen Frieden verspricht.

Supplement 21

Das Märchen

Man hat das Märchen den Wunschtraum [1] des Volkes genannt. Sicher ist, daß in einer großen Zahl von Märchen unerfüllte [2] Wünsche ausgesprochen werden. „Wenn ich in die Welt zöge und Glück hätte, würde ich die Tochter eines Königs befreien [3] und ihre Hand und ein Königreich [4] gewinnen." So träumt der Knabe, dem das Leben vielleicht wenig Gutes verspricht. Vielleicht ist die Prinzessin [5] krank und würde sterben, wenn dieser Knabe nicht käme und sie heilte.[6] Vielleicht hat sie

---

[19] klar clear.   [20] grün green.   [21] saftig lush, luscious.   [22] sich nieder=lassen settle.   [23] sicher (vor) safe (from); certain.   [24] die Flut flood. [25] verge'hen pass (away).   [26] einsam lonely.   [27] der Liebende (adj. decl.) lover. [28] friedlich peaceful.   [29] die Natur' nature.   [30] donnern thunder.   [31] aus=reißen tear out.   [32] zu Tausenden by the thousands.   [33] das Feuer fire. [34] vernich'ten destroy, annihilate.   [35] nirgends nowhere.   [36] entde'cken discover. [37] aus=schauen (nach) look (for).

[1] der Wunschtraum wish dream.   [2] unerfüllt unfulfilled.   [3] befrei'en liberate.   [4] das Königreich kingdom.   [5] die Prinzes'sin princess.   [6] heilen cure.

im Leben nie gelacht, und ihr Vater hat ihre Hand dem jungen Manne versprochen, der sie zum Lachen[7] bringen kann. Das Märchen erzählt also von dem dummen, aber guten Knaben, der so sein Glück findet.

Ein anderes Märchen gibt die Geschichte von dem armen Kinde, das in die Nacht hinauswandert[8] und alles, selbst sein Hemdchen,[9] verschenkt[10] und das dann für seine Güte[11] mit goldenen Talern[12] belohnt wird, die vom Himmel fallen. Ein anderes erzählt von einem armen Soldaten, der sein Brot und sein Geld mit dem heiligen Petrus teilt, der ihm als Bettler[13] begegnet[14] und ihm hilft, solange[15] er die Wahrheit[16] sagt.

Es ist, als ob diese guten, armen Menschen sich des besonderen Schutzes[17] des Himmels erfreuten.[18] Hänsel[19] würde von der bösen Hexe getötet werden, wenn Gretel[20] diese nicht ins Feuer stoßen[21] könnte. Schneewittchen[22] würde von der bösen Stiefmutter[23] vergiftet[24] werden, wenn die sieben Zwerge[25] sie nicht schützten.

In der Welt des Märchens herrscht eine Gerechtigkeit, die das Volk in der wirklichen Welt nicht oft findet. Die Guten werden belohnt,[26] und die Bösen werden bestraft. Besonders sind es die Stiefmütter und die Stiefschwestern,[27] die die Kinder der gestorbenen Mutter sehr schlecht behandeln und dafür grausam bestraft werden.

„Wenn ich armer Mensch doch in dieser Welt mein Glück finden könnte!" „wenn es doch eine Gerechtigkeit[28] gäbe, die die Guten belohnt und die Bösen bestraft!" das wünscht sich das Volk im Märchen und dichtet[29] sich eine Welt, in der seine Wünsche erfüllt werden.

Supplement 22

Die drei Ringe

Im Mittelpunkt[1] von Lessings Drama „Nathan der Weise" steht die Erzählung von den drei Ringen, welche drei Religionen[2] bedeuten,

---

[7] zum Lachen bringen make laugh.   [8] hinaus'=wandern roam, wander out.   [9] das Hemdchen little shirt.   [10] verschen'ken give away.   [11] die Güte goodness, kindness.   [12] der Taler thaler (*three marks*).   [13] der Bettler beggar.   [14] begeg'nen + *dat.* meet, encounter.   [15] solan'ge as long as.   [16] die Wahrheit truth.   [17] der Schutz protection.   [18] sich erfreu'en + *gen.* enjoy.   [19] Hänsel (*pet form of* Hans John) Johnny.   [20] Gretel (*pet form of* Margare'te Margaret) Peggy.   [21] stoßen push.   [22] (das) Schneewittchen Snow White.   [23] die Stiefmutter stepmother.   [24] vergif'ten poison.   [25] der Zwerg dwarf.   [26] belöh'nen reward.   [27] die Stiefschwester stepsister.   [28] die Gerech'tigkeit justice.   [29] dichten write (poetry); sich dichten create in one's imagination.

[1] der Mittelpunkt center.   [2] die Religion' religion.

nämlich Judentum,[3] Christentum [4] und Mohammedanismus.[5] Nathan erzählt sie dem Sultan [6] Saladin, der ihn gefragt hatte, welches die wahre Religion sei.

Vor vielen Jahren lebte im Osten ein Mann, der einen Ring von sehr großem Wert [7] besaß.[8] Dieser Ring habe die geheime [9] Kraft gehabt, den vor Gott und Menschen angenehm zu machen, der ihn in dieser Erwartung [10] trug. Bei seinem Tode gab der Mann diesen Ring seinem liebsten Sohne und bestimmte,[11] der Ring solle immer an den liebsten Sohn fallen und dieser solle das Haupt [12] der Familie sein.

So kam der Ring schließlich an einen Vater von drei Söhnen, die ihm alle gleich lieb waren. Darum ließ er noch zwei Ringe machen, die ganz wie der erste aussahen,[13] gab jedem Sohne einen Ring und starb.

Nach seinem Tode begannen die Söhne zu streiten, da jeder das Haupt der Familie sein wollte und da jeder einen Ring von dem Vater erhalten hatte. Endlich gingen sie zu einem Richter,[14] der sie fragte, wen zwei von ihnen am meisten liebten. Der Ring solle ja die Kraft haben, vor Gott und Menschen angenehm zu machen. Oder ob jeder nur sich selber liebe. In diesem Falle [15] sei der echte [16] Ring verloren [17] gegangen, und er könne ihnen nicht helfen. Sie sollten also nach Hause gehen und die Kraft des Ringes durch Liebe und Güte beweisen.[18] Dann sollten nach vielen tausend Jahren die Kinder ihrer Kindeskinder [19] wieder zum Gericht kommen, wo ein weiserer Richter entscheiden [20] werde.

Für Lessing ist also die Religion die wahre, die die meiste Liebe unter den Menschen bewirkt.[21]

---

[3] das Judentum Judaism.   [4] das Christentum Christianity.   [5] der Mohammedanis'mus Mohammedanism.   [6] der Sultan sultan.   [7] der Wert value.   [8] besit'zen possess.   [9] geheim' secret.   [10] die Erwar'tung expectation.   [11] bestim'men determine, stipulate.   [12] das Haupt head.   [13] aus=sehen look, appear.   [14] der Richter judge.   [15] der Fall fall; case.   [16] echt genuine.   [17] verlo'ren gehen get lost, be lost.   [18] bewei'sen prove, demonstrate.   [19] die Kindeskinder (plur.) children's children.   [20] entschei'den decide.   [21] bewir'ken bring about.

Vocabulary Note

The vocabulary gives the words which occur in the main reading sections, grammatical exercises, and captions. Words which occur only in the supplementary reading chapters are not included.

Masculine and neuter nouns are given with the genitive singular and nominative plural endings; the umlaut is indicated by two dots over a small dash: **der Berg, –es, –e; das Haus, –es, ̈er.** For feminine nouns, only the plural ending is indicated: **die Aufgabe, –n.**

Principal parts of verbs are given in full for irregular strong and weak verbs and for modals.

With regular strong verbs the vowel change of the present tense is indicated, and the stem vowels of the past and the past participle are given: **befehlen (ie; a, o).** The use of **sein** as an auxiliary is indicated: **laufen (äu; ie, au; sein).**

Verbs with separable prefixes are printed with a hyphen: **ab-stammen.** An asterisk after a compound verb indicates that the principal parts are given under the simple verb: **aus-steigen*.** The use of **sein** as an auxiliary is indicated under the simple verb.

All words not stressed on the first syllable appear with an accent after the stressed syllable. The accent is omitted after the unstressed prefix **ge-** of the past participle: **gebrannt.**

After prepositions the case is indicated as follows: **bei** *dat.;* **an** *dat. or acc.*

A dash means that the key word is to be supplemented: **einmal** *once;* **nicht — = nicht einmal.**

Abbreviations

acc.	accusative	*dem.*	demonstrative
adj.	adjective	*gen.*	genitive
adv.	adverb	*indef. art.*	indefinite article
comp.	comparative	*num.*	numeral
conj.	conjunction	*pl.*	plural
dat.	dative	*rel.*	relative
decl.	declension	*sing.*	singular
def. art.	definite article		

Vocabulary

GERMAN-ENGLISH

A

ab-brechen (i; a, o) break off
abends in the evening
aber but, however
ab-gewinnen * *dat.* win from, wrest from
ab-halten * keep away
die **Abhandlung, –en** treatise
ab-reisen (sein) depart
ab-stammen descend
absurd' absurd
ach oh, alas
die **Achtung** respect
die **Adres'se, –n** address
all, *pl.* **alle** all; **alles** everything; **vor allem** most of all, above all
allein' alone
allgemein general, universal
der **Alltag, –s, –e** everyday
die **Alpen** (*pl.*) Alps
als as; than (*after comp.*); when; **— ob** as if
also therefore; well then
alt old
das **Alter, –s, —** (old) age
an *dat. or acc.* at, near, to; on
ander– other
an-erkennen * recognize
der **Anfang, –s, "e** beginning
an-fangen * begin
angenehm pleasant, agreeable; **sehr —!** pleased to meet you!
angesehen distinguished
an-nehmen * accept; assume
an-rufen * call (up) (*by telephone*)
anstatt' *gen.* instead of
an-stimmen begin singing, intonate
die **Antwort, –en** answer

antworten answer
an-wenden * apply
der **Appetit', –s** appetite
die **Arbeit, –en** work
arbeiten work
arbeitsreich laborious
der **Arzt, –es, "e** physician; **ärztlich** medical
auch also, too; even; **wenn —** even though
auf *dat. or acc.* on, upon, to
auf-führen perform
die **Aufführung, –en** performance
die **Aufgabe, –n** task, lesson, assignment
auf-gehen * go up, rise
auf-hören stop, end
auf-jagen chase up
die **Aufnahme, –n** reception; **— finden** be received
aufrichtig sincere
die **Aufrichtigkeit** sincerity
auf-schreiben * write down
der **Augenblick, –s, –e** moment
aus *dat.* out of, from
aus-brechen (i; a, o; sein) break out
der **Ausflug, –s, "e** excursion, trip, outing; **einen — machen** go on an outing
die **Ausführung, –en** carrying out, execution; **zur — bringen** carry out, execute
außerhalb *gen.* outside of
aus-steigen * get out (*of a vehicle*), get off
aus-zeichnen distinguish
der **Autobus, –ses, –se** bus

B

das **Bad,** –es, ⁀er bath
der **Badestrand,** –s bathing beach
die **Badewanne,** –n bathtub
die **Bahn,** –en road; railway
der **Bahnhof,** –s, ⁀e railroad station
bald soon
bändigen tame
bayrisch Bavarian
beant'worten answer
bedeu'ten mean, signify
die **Bedeu'tung,** –en meaning, significance
been'den finish
befal'len * (haben) seize (*of illness*)
befeh'len (ie; a, o) order, command
sich **befin'den** * be located, be
befrie'digen satisfy
die **Begeg'nung,** –en meeting
begin'nen (a, o) begin
beglei'ten accompany
begrün'den found, establish
behal'ten * keep
behan'deln treat
bei *dat.* at, near, with; at the house of
beide both, the two (of them)
das **Beil,** –es, –e hatchet
das **Beileid,** –s condolence; **mein Beileid!** my sympathy!
das **Bein,** –es, –e leg
das **Beispiel,** –s, –e example
bekämp'fen fight against
bekannt' (well-)known
bekom'men * (haben) get, receive
bereit' ready
berei'ten get ready for, prepare
der **Berg,** –es, –e mountain
der **Beruf',** –es, –e profession
die **Beschrän'kung,** –en limitation
beschrei'ben * describe
der **Besen,** –s, — broom
besie'gen defeat
beson'der– special, particular; **beson'ders** especially, particularly
besser better
bestel'len order
bestra'fen punish

besu'chen visit; attend
der **Betrü'ger,** –s, — deceiver, impostor
die **Bevöl'kerung,** –en population
bevor' before
(sich) **bewe'gen** move
bewoh'nen inhabit, live in
das **Bild,** –es, –er picture
die **Biologie'** biology
bis till, until; — **an** (**nach, zu**) up to, as far as
die **Bitte,** –n demand, request
bitten (bat, gebeten) ask, beg, request; — **um** ask for; **bitte!** please!
bitter bitter
blau blue
bleiben (ie, ie; sein) remain, stay
der **Blick,** –es, –e glance, view
blitzen: es blitzt it is lightning
der **Bodensee,** –s Lake Constance
der **Braten,** –s, — roast
brauchen need; use
breit broad, wide
brennen, brannte, gebrannt burn
der **Brief,** –es, –e letter
bringen, brachte, gebracht bring, take
der **Bruder,** –s, ⁀ brother
die **Brust,** ⁀e breast, chest
das **Buch,** –es, ⁀er book
die **Buchhandlung,** –en bookstore
die **Bun'desrepublik'** Federal Republic
die **Burg'rui'ne,** –n ruins of a castle
das **Büro',** –s, –s bureau, office

C

der **Chirurg',** –en, –en surgeon
der **Chor,** –es, ⁀e choir, chorus

D

da there; present; *conj.* since
dage'gen against it; **ich habe nichts** — I have no objection
daher therefore
die **Dame,** –n lady
damit with that; at that

damit' *conj.* so that
der **Dank, –es** thanks; **Gott sei —**
thanks be to God, thank goodness
danken thank; **danke!** thank
you, thanks
dann then
das the; that
daß *conj.* that
davon'-fliegen * fly away
dazu' to it, to that
dazwi'schen-kommen *   intervene
dein, deine, dein your (*familiar
sing.*)
die **Demokratie', –n** democracy
denken, dachte, gedacht think;
— an think of
denn for
dennoch nevertheless
der, die, das *def. art.* the; *dem.*
that (one); *rel.* who, which, that
derjenige, diejenige, dasjenige
the one (who), he (who)
derselbe, dieselbe, dasselbe the
same
der **Despotis'mus** despotism
deutsch German; (das) **Deutsch**
the German language
die **Deutschklasse, –n** German
class
(das) **Deutschland, –s** Germany
die **Deutschstunde** German class
dich (*acc.*) you, thee
der **Dichter, –s, —** poet, author,
writer
dienen serve
der **Dienst, –es, –e** service
der **Dienstag, –s, –e** Tuesday
dieser, diese, dies(es) this; the
latter
die **Diktatur', –en** dictatorship
dir (to) you, (to) thee
doch yet, however, nevertheless;
— wohl probably, presumably
der **Dom, –es, –e** cathedral
die **Donau** Danube
donnern thunder
der **Donnerstag, –s, –e** Thursday
dort there
das **Drama, –s, Dramen** drama
drama'tisch dramatic
drei three; **dreifach** triple; **dreimal** three times

dritt– third; das **Drittel, –s, —**
third, third part
drohen menace, threaten
du you, thou
der **Duft, –es, ̈e** fragrance, aroma
dulden tolerate, suffer
dumm stupid
dunkel dark; das **Dunk(e)le,**
darkness
durch *acc.* through
dürfen (darf; durfte, gedurft *or*
dürfen) be allowed to, may;
man darf nicht one must not

E

die **Ebene, –n** plain
die **Ecke, –n** corner
ehe before
die **Ehre, –n** honor
eigen own
eilen (sein) hurry, hasten
ein, eine, ein *indef. art.* a, an;
num. one
der **Einfluß, Einflusses, Einflüsse** influence
der **Eingang, –s, ̈e** entrance
einige some, a few
ein-laden (ä; u, a) invite
die **Einladung, –en** invitation
einmal once; **nicht —** not even;
auf — suddenly
einsam lonely
der **Einwohner, –s, —** inhabitant
die **Eisenbahn, –en** railroad
elend miserable
die **Eltern** (*pl.*) parents
empfan'gen * receive
das **Ende, –s, –n** end
enden end, finish
endlich finally
der **Engländer, –s, —** Englishman
englisch English; (das) **Eng-
lisch(e)** the English language
entfer'nen remove
entschul'digen excuse, pardon
entste'hen * (**sein**) spring forth,
originate, develop
entweder . . . oder either . . . or
entwi'ckeln develop
er he (it)
erfas'sen seize; comprehend
der **Erfolg', –es, –e** success

erfül'len fulfill

erhe'ben (o, o) lift

erken'nen * recognize, realize

erklä'ren explain

erlan'gen attain

erlau'ben allow, permit

ernst serious

die Erntezeit, –en harvest time

errei'chen reach, attain

erschei'nen * (sein) appear

erschla'gen * kill, slay

erst first; only, not until

sich erstre'cken stretch

erwar'ten expect

die Erwar'tung, –en expectation

erzäh'len tell, relate

die Erzäh'lung, –en story, tale

es it

der Esel, –s, — donkey, jackass

essen (ißt; aß, gegessen) eat; **zu Mittag —** have (noon) dinner; **das Essen, –s, —** food, dinner

das Eßzimmer, –s, — dining room

etwa by any chance, perhaps; approximately

etwas something; some, somewhat, a little

euch (to) you

euer, eu(e)re, euer your

das Extrem', –s, –e extreme

F

die Fabel, –n fable

die Fähigkeit, –en ability, capability

fahren (ä; u, a; sein) go, drive, ride; **mit dem Schiff —** go by boat

die Fahrt, –en travel, trip

fallen (ä; fiel, a; sein) fall, drop; **es fällt mir schwer** it is difficult for me

die Fami'lie, –n family

fangen (ä; i, a) catch; take prisoner; **gefangen nehmen** * capture, take prisoner

fast almost

fehlen lack

feiern celebrate

feindlich hostile

der Felsen, –s, — rock

fern far, distant

fertig ready; **sich — machen** get ready

die Feste, –n stronghold

finden (a, u) find

der Fisch, –es, –e fish

der Fischer, –s, — fisherman

fliehen (o, o; sein) flee

fließen (o, o; sein) flow

das Flugzeug, –s, –e (air)plane

der Fluß, Flusses, Flüsse river

folgen (sein) dat. follow; **im folgenden** in the following

die Form, –en form

förmlich formal

fort away

fort-gehen * go away

der Fortschritt, –s, –e progress

die Frage, –n question

fragen ask (a question)

(das) Frankreich, –s France

die Frau, –en woman; wife; Mrs.

das Fräulein, –s, — miss, young lady

frei free

die Freiheit, –en freedom, liberty

der Freiheitswille, –ns will to be free

frei-lassen * set free, liberate

der Freitag, –s, –e Friday

fremd foreign, strange; **die Fremde** foreign country

die Freude, –n joy, pleasure

sich freuen be glad, rejoice; **es freut mich** it gives me pleasure

der Freund, –es, –e friend

die Freundin, –nen friend (female)

freundlich friendly

der Friede(n), –ns peace

friedlich peaceful

frisch fresh

früh early

das Frühstück, –s breakfast

(sich) fühlen feel

führen lead, guide; **Krieg —** wage war

der Führer, –s, — leader, guide

die Führung, –en guidance, leadership

füllen fill

fünf five; **die Fünf** (grade of) F

für acc. for

der Fürst, –en, –en prince, ruler

der **Fuß**, **-es**, **ͤe** foot; **zu —** on foot

G

ganz whole; quite
gar: — nicht not at all
der **Garten**, **-s**, **ͤ** garden
der **Gast**, **-es**, **ͤe** guest
gebä'ren (**ie**; **a**, **o**) bear, give birth to
geben (**i**; **a**, **e**) give; **es gibt** there is, there are
das **Gebiet'**, **-es**, **-e** region, area
das **Gebir'ge**, **-s**, **—** mountain range
gebo'ren born
der **Geburts'tag**, **-s**, **-e** birthday
der **Gedan'ke**, **-ns**, **-n** thought; idea
das **Gedicht'**, **-s**, **-e** poem
gefal'len * (**haben**) please; **es gefällt mir** it pleases me, I like it
gefan'gen nehmen * capture, take prisoner
gegen *acc.* against; towards
die **Gegend**, **-en** region, district
der **Gegensatz**, **-es**, **ͤe** contrast
der **Gegner**, **-s**, **—** adversary, opponent
das **Geheim'nis**, **-ses**, **-se** secret
gehen (**ging, gegangen; sein**) go, walk; **wie geht es** (**Ihnen**)? how are you?
das **Gehör'**, **-s** hearing
gehö'ren *dat.* belong to; **— zu** be part of
das **Geld**, **-es**, **-er** money
gelin'gen (**a**, **u**; **sein**) succeed; **es gelingt mir** I succeed
gemüt'lich comfortable, cozy
die **Generation'**, **-en** generation
genug' enough
die **Geographie'** geography
geogra'phisch geographic
gera'de straight; *adv.* just (then)
das **Gericht'**, **-s**, **-e** court
gern(e) willingly, with pleasure; *with verb* like to, be fond of
gesche'hen (**ie**; **a**, **e**; **sein**) happen
das **Geschenk'**, **-s**, **-e** gift, present

die **Geschich'te**, **-n** story, history
geschicht'lich historical
die **Gesell'schaft**, **-en** society, company
gesell'schaftlich social
gestern yesterday
die **Gewalt'**, **-en** power, force
gewal'tig powerful, forceful
gewin'nen (**a**, **o**) gain, win
gießen (**o**, **o**) pour
das **Glas**, **-es**, **ͤer** glass
glauben believe
gleich equal, same; at once, immediately
das **Glück**, **-es** happiness, luck, good fortune; **zum —** fortunately
glücklich happy, fortunate
gnädig gracious; **gnädige Frau** Madam
golden golden
der **Gott**, **-es**, **ͤer** god
die **Grabstätte**, **-n** burial place
gratulie'ren *dat.* congratulate
grau gray
grausam cruel
die **Grenze**, **-n** border, boundary
der **Grieche**, **-n**, **-n** Greek
groß great, big, large; tall
der **Großvater**, **-s**, **ͤ** grandfather
der **Gruß**, **-es**, **ͤe** greeting
der **Gulden**, **-s**, **—** guilder, florin
gut (**besser, best-**) good; well

H

das **Haar**, **-es**, **-e** hair
haben (**hat; hatte, gehabt**) have; possess
halb half; **um — eins** at 12:30
die **Hälfte**, **-n** half
der **Hals**, **-es**, **ͤe** neck
halten (**ä**; **ie**, **a**) hold; **— für** consider (as); **gefangen —** keep in prison, hold prisoner
handeln act; die **Handlung**, **-en** act, action; plot
die **Handschrift**, **-en** handwriting; manuscript
die **Harmonie'**, **-n** harmony
häßlich ugly
die **Hauptstadt**, **ͤe** capital (*city*)
das **Haus**, **-es**, **ͤer** house; **nach**

Hause home; **zu Hause** at home

der **Haus'arrest'**, **-s** confinement to one's home; house arrest

das **Häuschen**, **-s**, — little house

die **Hausfrau**, **-en** housewife

der **Haushalt**, **-s**, **-e** household

das **Heft**, **-es**, **-e** notebook

heilig holy, sacred

die **Heimat**, **-en** home, homeland

heißen (**ie, ei**) be called *or* named; mean; **das heißt** (*abbr.* **d.h.**) that is (i.e.); **wie — Sie?** what is your name?

der **Held**, **-en**, **-en** hero

das **Heldenlied**, **-s**, **-er** heroic lay, song of heroes

helfen (**i; a, o**) help

heran'-schwimmen * approach swimming, swim up

heran'-wachsen * grow up; **— zu** grow to (be)

herbei'-bringen * bring hither *or* up

herbei'-führen bring about

der **Herr**, **-n**, **-en** gentleman, master; Mr., lord

die **Herrschaft**, **-en** rule, reign

herrschen rule, reign

der **Herrscher**, **-s**, — ruler

das **Herrscherhaus**, **-es**, **-er** ruling house, ruling family, dynasty

hervor'-holen get out

herzlich cordial; **herzliches Beileid** heartfelt sympathy

der **Herzog**, **-s**, **-e** duke

heute today; **— morgen** this morning

der **Hexenmeister**, **-s**, — the (master) magician, sorcerer

hier here

der **Himmel**, **-s**, — sky, heaven

hin thereto; **— und her** hither and thither, back and forth; **sich — und her bewegen** move back and forth; **nach Osten —** towards the east

hinab'-steigen * climb down

hinauf'-sehen * look up

hinauf'-steigen * climb up

hinaus'-strömen (**sein**) stream out

hinter *dat. or acc.* behind

hinun'ter-fahren * ride *or* drive down

hinzu'-fügen add

hoch (**hoh-**) high

(das) **Hochdeutsche** High German

der **Hof**, **-es**, **-e** farm; court

hoffen hope

hoffentlich let's hope

die **Hofgesellschaft**, **-en** court society

höflich polite, courteous

die **Höflichkeit** politeness

holen fetch

der **Holländer**, **-s**, — Dutchman

hören hear; **— auf** *acc.* listen to

der **Hunger**, **-s** hunger; **— haben** be hungry

der **Hut**, **-es**, **-e** hat

die **Hütte**, **-n** hut; foundry

der **Hymnus**, —, **Hymnen** hymn, song of praise

I

ich I

die **Idee'**, **-n** idea

ihm (to) him *or* it

ihn him (it)

ihnen (to) them; **Ihnen** (to) you

ihr you; (to) her; **ihr, ihre, ihr** her, their; **Ihr** you; your

immer ever, always; **— wieder** again and again

in *dat. or acc.* in, within, at; into

die **Industrie'**, **-n** industry

industriell' industrial

die **Inflation'**, **-en** inflation

der **Inhalt**, **-s**, **-e** content

die **In'tensität'** intensity

interessant' interesting

die **In'toleranz'** intolerance

italie'nisch Italian

J

ja yes; in fact

das **Jahr**, **-es**, **-e** year

das **Jahrhun'dert**, **-s**, **-e** century

je ever

jeder, jede, jedes each, every; everyone

jedoch' however

jemand somebody

jener, jene, jenes that (one); the former

jenseits *gen.* on the other side of

jetzt now

jung young

die **Jungfrau**, –en virgin, maiden

der **Jüngling**, –s, –e youth, young man

(die) **Jura** (*pl.*) law

K

der **Kaffee**, –s coffee

der **Kaiser**, –s, — emperor

die **Kaiserin**, –nen empress

die **Kaiserkrone**, –n imperial crown

das **Kamēl'**, –s, –e camel

der **Kamm**, –es, ⁀e comb

kämmen comb

der **Kampf**, –es, ⁀e fight, struggle

kämpfen fight

der **Kämpfer**, –s, — fighter

der **Kanāl'**, –s, ⁀e canal

der **Kanzler**, –s, — chancellor

katho'lisch Catholic

kaufen buy

kaum scarcely

kein, keine, kein no, not a, not any

die **Kellnerin**, –nen waitress

kennen (**kannte, gekannt**) know, be acquainted with

der **Kenner**, –s, — connoisseur

die **Kette**, –n chain

das **Kind**, –es, –er child

die **Kinder- und Hausmärchen** fairy tales for children and home

der **Kirchturm**, –s, ⁀e steeple

die **Klage**, –n complaint; lament

klagen complain, lament

die **Klasse**, –n class (*group of students*), classroom

klassisch classical

das **Klavier'**, –s, –e piano

die **Klavier'komposition'**, –en composition for piano

klein little, small

kleinbürgerlich (of the) lower middle class

das **Kloster**, –s, ⁀ monastery

der **Knabe**, –n, –n boy

der **Knecht**, –es, –e servant

Köln, –s Cologne

kolonisie'ren colonize

kommen (**kam, gekommen; sein**) come

komponie'ren compose, set to music

der **Komponist'**, –en, –en composer

die **Komposition'**, –en composition

der **König**, –s, –e king

die **Königin**, –nen queen

das **Königreich**, –s, –e kingdom

die **Konkurrenz'** competition

können (**kann; konnte, gekonnt** *or* **können**) can, be able to

die **Konzentration'** concentration

das **Konzert'**, –s, –e concert

kosmisch cosmic

kosten cost

die **Kraft**, ⁀e power, strength

kräftig strong, energetic, forceful, vigorous

krank sick, ill

die **Krankheit**, –en sickness, illness, disease

kriechen (**o, o; sein**) crawl, creep

der **Krieg**, –es, –e war; — **führen** wage war

der **Krieger**, –s, — warrior

die **Küche**, –n kitchen

der **Kuchen**, –s, — cake

die **Kunst**, ⁀e art; *pl. also* tricks

der **Künstler**, –s, — artist

der **Kurfürstendamm** *important street in West Berlin* (der **Kurfürst**, –en, –en prince elector; der **Damm**, –s, ⁀e dam)

kurz short, brief

L

lachen laugh; das **Lachen**, –s laughing, laughter: **zum** — **bringen** make laugh

der **Laden**, –s, ⁀ store

die **Lage**, –n situation, condition

das **Land**, –es, ⁀er land, country; **auf das** — to the country; **auf dem Lande** in the country

die **Landschaft, –en** landscape, scenery

lang long; **lange** a long time

langsam slow

lassen (ä; ie, a) let; **suchen —** make seek; **eine Messe singen — have a Mass sung**

der **Lauf, –es,** ⁀**e** run, race, course

laufen (äu; ie, au; sein) run

läuten ring; **es läutet** the bell is ringing

leben live; **das Leben, –s, —** life

leben'dig lively, alive

das **Lebensjahr, –es, –e** year of life

der **Lebensraum, –es,** ⁀**e** living space

legen lay, place, put

der **Lehrer, –s, —** teacher

die **Lehrerin, –nen** teacher (*female*)

der **Lehrling, –s, –e** apprentice

das **Leid, –es** suffering, grief

leiden (litt, gelitten) suffer, tolerate

lenken guide, direct

lernen learn, study

lesen (ie; a, e) read

der **Leser, –s, —** reader

letzt– last; **das letztere** the latter

lieb dear; **lieber, liebst–** *see par. 68, p. 65*

die **Liebe** love

lieben love

der **Liebling, –s, –e** favorite

das **Lied, –es, –er** song; lay

liegen (a, e) lie; be located *or* situated

die **Literatur', –en** literature

die **Luft,** ⁀**e** air (*pl.* breezes)

der **Luxus** luxury

lyrisch lyrical

M

machen make, do; cause; **ein Ende —** finish; **sich fertig —** get ready

die **Macht,** ⁀**e** might, power

mächtig mighty, powerful

die **Magie'** magic

–mal times

das **Mal, –es, –e** time *as in* **das erste —**

man one; they

mancher, manche, manches many a; *pl.* some

manchmal sometimes

der **Mann, –es,** ⁀**er** man; husband

der **Mantel, –s,** ⁀ overcoat

das **Märchen, –s, —** fairy tale

die **Mark, —** mark (*currency*)

der **Markt, –es,** ⁀**e** market

das **Maß, –es, –e** measure; **in besonderem Maße** to a particular degree

die **Mathematik'** mathematics

das **Mathematik'buch, –es,** ⁀**er** mathematics book

die **Medizin'** medicine

medizi'nisch medical

das **Meer, –es, –e** sea, ocean

mehr more; **nicht —** not any more, no longer; **mehrere** several

die **Mehrheit** majority

mein, meine, mein my

meinen mean; think; say

meist most; **die meisten Menschen** most people

der **Meister, –s, —** master

die **Melodie', –n** melody

der **Mensch, –en, –en** human being, man, person; *pl. also* people

die **Menschenliebe** love of man(kind)

die **Messe, –n** Mass

mich me, myself

milita'risch military

die **Militär'schule, –n** military academy

die **Million', –en** million

die **Minu'te, –n** minute

mir (to) me

mit *dat.* with

miteinan'der with one another, together

mit-geben * give along

mit-nehmen * take along

der **Mittag, –s, –e** midday, noon; **mittags** at noon: **zu — essen** have (noon) dinner

das **Mittagessen, –s, —** (noon) dinner

die **Mittagssonne** midday sun

die **Mitte**, –n middle, center
das **Mittelalter**, –s Middle Ages
mitten in *dat.* in the midst of
der **Mittwoch**, –s, –e Wednesday
mögen (**mag**; **mochte, gemocht**
  or **mögen**) like, care to, care for;
  may
die **Monarchie'**, –n monarchy
der **Mönch**, –es, –e monk
der **Mond**, –es, –e moon
der **Montag**, –s, –e Monday
der **Mörder**, –s, — murderer
morgen tomorrow; **heute** — this
  morning
der **Morgen**, –s, — morning
müde tired
der **Mund**, –es, ⁀er mouth;
  jemand nach dem Munde
  reden chime in with somebody
die **Mundart**, –en dialect
das **Münster**, –s, — cathedral
die **Musik'** music
musika'lisch musical
müssen (**muß**; **mußte, gemußt**
  or **müssen**) must, have to, be
  compelled to, be obliged to
die **Mutter**, ⁀ mother

N

na *interj.* well then
nach *dat.* after; to, towards; according to; — ... **hin** towards
der **Nachbar**, –s *or* –n, –n neighbor
nachdem' after
nach-denken * **über** *acc.* think
  about, reflect upon, ponder
der **Nachmittag**, –s, –e afternoon
die **Nacht**, ⁀e night
der **Nacken**, –s, — neck
nahe near, close
die **Nähe** nearness, neighborhood,
  vicinity
der **Name(n)**, –ns, –n name
nämlich namely
die **Nation'**, –en nation
der **National'sozialis'mus** national socialism
die **Natur'**, –en nature
natür'lich natural; of course
neben *dat. or acc.* beside, next to
nehmen (**nimmt**; **nahm, ge-**
  nommen) take

nein no
nennen (**nannte, genannt**) name,
  mention
neu new, recent; **von neuem**
  anew
neunt– ninth
nicht not; — **wahr?** isn't it so?
nichts nothing, not anything
nie never
niederdeutsch Low German
nieder-schreiben * write down
niedrig low
noch still; — **einmal** once more;
  — **immer** still; — **nicht** not yet
der **Norden**, –s north
der **Nordwe'sten**, –s northwest
die **Not**, ⁀e need, distress, emer-
  gency
nun now; (*before comma*) well
nur only; just
nützlich useful
nutzlos useless

O

ob whether; **als** — as though
oben up, on top
ober– upper; **das obere Ende**
  head (*of a table*)
obgleich', **obschon'**, **obwohl'** although
das **Obst**, –es fruit
oder or
offen open
öffnen open
oft often
ohne *acc.* without
der **Okto'ber**, –s October
das **Opfer**, –s, — victim
das **Orche'ster**, –s, — orchestra
der **Osten**, –s east
(das) **Österreich**, –s Austria
österreichisch Austrian
östlich eastern
die **Ostzone** East Zone
der **Ozean**, –s, –e ocean

P

das **Paar**, –es, –e pair, couple; **ein**
  paar a few, some
der **Pakt**, –es, –e pact
das **Papier'**, –s, –e paper
der **Papst**, –es, ⁀e pope

die **Partei'**, **–en** party
die **Partitur'**, **–en** (*musical*) score
die **Pfeife**, **–n** pipe
das **Pferd**, **–es**, **–e** horse
phanta'stisch fantastic
die **Philosophie'**, **–n** philosophy
philoso'phisch philosophical
der **Platz**, **–es**, **⁻e** place; square
(das) **Preußen**, **–s** Prussia
der **Prinz**, **–en**, **–en** prince
der **Profes'sor**, **–s**, **Professo'ren** professor
protestan'tisch Protestant
die **Prüfung**, **–en** examination, test
der **Punkt**, **–es**, **–e** point; **— ein Uhr** one o'clock sharp

Q

der *or* das **Quadrat'kilome'ter**, **–s**, **—** square kilometer
die **Quadrat'meile**, **–n** square mile
quälen torture, torment

R

das **Rathaus**, **–es**, **⁻er** city hall
rauchen smoke
der **Raum**, **–es**, **⁻e** room, space
die **Raupe**, **–n** caterpillar
recht right; **— haben** be right; **es ist mir — ** it suits me; **— gut** quite well
reden talk, speak
die **Reformation'**, **–en** reformation
der **Regen**, **–s** rain
das **Reich**, **–es**, **–e** empire, state
rein clean, pure
die **Reise**, **–n** travel, trip
reißen (i, gerissen) tear; **an sich —** acquire by force, usurp
reiten (ritt, geritten; sein) ride
religiös' religious
rennen (rannte, gerannt; sein) run
die **Republik'**, **–en** republic
das **Requiem**, **–s** requiem (*Mass for the dead*)
der **Rest**, **–es**, **–e** remainder
das **Restaurant'**, **–s**, **–s** restaurant
der **Rhein**, **–es** Rhine
die **Rheinsage**, **–n** Rhine legend

richtig right, correct
der **Ring**, **–es**, **–e** ring
römisch Roman
rufen (ie, u) call, shout
die **Ruhe** rest
ruhen rest
ruhig quiet
der **Ruhm**, **–es** fame
der **Ruin'**, **–s** ruin
der **Rundfunk**, **–s** radio broadcast

S

die **Sage**, **–n** saga, legend
sagen say, tell
die **Sahne** cream
der **Samstag**, **–s**, **–e** Saturday
der **Sattel**, **–s**, **⁻** saddle
schaffen (schuf, geschaffen) create; **das Schaffen**, **–s** creative work
scharf sharp
der **Schatz**, **–es**, **⁻e** treasure; sweetheart
scheinen (ie, ie) shine; appear, seem
schelten (i; a, o) scold
schenken donate, give (*as a present*)
schicken send
das **Schicksal**, **–s** fate, destiny
das **Schiff**, **–es**, **–e** ship, boat
der **Schiffer**, **–s**, **—** skipper, boatman
das **Schilaufen**, **–s** skiing
schlachten butcher, slaughter
schlagen (ä; u, a) beat; defeat
schlecht bad
schließen (o, geschlossen) close; conclude
schließlich finally
schlimm bad
das **Schloß**, **Schlosses**, **Schlösser** palace
schmal narrow
der **Schmetterling**, **–s**, **–e** butterfly
schnell quick, fast
schon already
schön beautiful; fine, all right
die **Schönheit**, **–en** beauty
die **Schöpfung**, **–en** creation
schottisch Scotch
schreiben (ie, ie) write

die **Schuld, –en** debt; guilt
schuldig guilty
die **Schule, –n** school
der **Schüler, –s, —** pupil
schützen protect
der **Schwan, –es, ⁻e** swan
der **Schwarzwald, –s** Black Forest
die **Schweiz** Switzerland
schwer heavy; difficult, hard
die **Schwester, –n** sister
schwimmen (a, o; sein) swim
der **See, –s, –n** lake
die **Seele, –n** soul
sehen (ie; a, e) see, look
sehr very, much, very much
sein, seine, sein his, its
sein (ist; war, gewesen; sein) be
seit *dat.* since (*of time*)
die **Seite, –n** side; page
die **Seitenstraße, –n** side street
der **Sekretär', –s, –e** secretary
selber, selbst self; even
das **Seme'ster, –s, —** semester
senden (sandte, gesandt; *also regular*) send
setzen set, put (down); **sich —** sit down
sich himself, herself, itself; themselves; yourself, yourselves
sicher safe, secure
sie she, it, they; **Sie** you
der **Sieger, –s, —** victor
singen (a, u) sing
der **Sinn, –es, –e** sense; meaning
sitzen (saß, gesessen) sit, be seated
der **Skandina'vier, –s, —** Scandinavian
so so, thus, in such a way; **— ein** such a; **— daß** so that
sofort' immediately
sogār' even
sogenannt so-called
der **Sohn, –es, ⁻e** son
solcher, solche, solches such; **solch ein** such a
der **Soldat', –en, –en** soldier
sollen (soll; sollte, gesollt *or* **sollen)** be supposed to, be to (shall); **sollte** *also* ought to
der **Sommer, –s, —** summer
die **Sommerferien** (*pl.*) summer vacation

sondern but, however
der **Sonnabend, –s, –e** Saturday
die **Sonne, –n** sun
der **Sonnenschein, –s** sunshine
der **Sonntag, –s, –e** Sunday
sowie' as well as
spalten split
spät late; **spätestens** the latest
der **Speer, –s, –e** spear
die **Sprache, –n** speech; language
sprechen (i; a, o) speak
der **Staat, –es, –en** state
die **Stadt, ⁻e** city
der **Stamm, –es, ⁻e** tribe, race
statt *gen.* instead of
stehen (stand, gestanden) stand
steigen (ie, ie; sein) climb
steil steep
die **Stelle, –n** place
stellen place, put
die **Stellung, –en** position
sterben (i; a, o; sein) die; **— an** die of
die **Stimme, –n** voice
stören disturb
stoßen (ö; ie, o) push
die **Straße, –n** street
streben strive
streiten (stritt, gestritten) quarrel
strömen (sein) stream
das **Stück, –es, –e** piece; bit; **ein — Kuchen** a piece of cake
der **Student', –en, –en** student
die **Studen'tin, –nen** girl student
studie'ren study
das **Studium, –s, Studien** study, course of studies
der **Stuhl, –es, ⁻e** chair
die **Stunde, –n** hour; class period
stürzen throw, plunge
suchen seek
der **Süden, –s** south
südlich southern
der **Südo'sten, –s** southeast
das **Symbol', –s, –e** symbol
die **Symphonie', –n** symphony

T

der **Tag, –es, –e** day; **guten —!** hello; how do you do?
tapfer brave

taub deaf

tausendjährig a thousand years', millennial

der **Teil**, –es, –e part; share; **zum großen —** largely; **zum —** in part, partly

teilen divide

die **Teilnahme** participation

das **Telefon'**, –s, –e telephone

der **Teller**, –s, — plate

das **Testament'**, –s, –e testament, last will

das **Thema**, –s, **Themen** theme, topic

die **Theologie'** theology

tief deep; profound

die **Tief'e'bene**, –n lowlands, low plain

das **Tier**, –es, –e animal

der **Tisch**, –es, –e table

der **Titel**, –s, — title

die **Tochter**, ⸚ daughter

der **Tod**, –es, –e death

der **Todestag**, –es, –e day of death

der **Ton**, –es, ⸚e tone, sound

töten kill

die **Totenmesse**, –n Mass for the dead

tragen (ä; u, a) carry, bear, wear

tragisch tragic

die **Tragö'die**, –n tragedy

träumen dream

traurig sad

treffen (i; trāf, o) hit; meet

treten (tritt; a, e) kick; *with* **sein** step, walk

treu loyal

trinken (a, u) drink; **Kaffee —** have coffee

trotz *gen.* in spite of

trotzdēm' in spite of it, nevertheless

tun (tat, getan) do

die **Tür**, –en door

der **Turm**, –es, ⸚e tower

U

über *dat. or acc.* over, above, across; about, of

überhaupt' at all

über-laufen * run over

überneh'men * take over

überschwem'men inundate, flood

überse'hen * look over, survey

überset'zen translate

übrig left over; **— lassen** leave over; **zu wünschen — lassen** leave to be desired

die **Uhr**, –en watch, clock; **es ist zwölf —** it is 12 o'clock

um *acc.* around, about; (*with clock time*) at

um . . . zu in order to

umfas'sen embrace; include, comprise

der **Umgang**, –s association

umge'ben * surround

die **Umge'bung**, –en surroundings, environment

unbekannt unknown, anonymous

und and; **— so weiter** (*abbr.* usw.) and so forth (etc.)

unerfüllt' unfulfilled

unerträg'lich unbearable

ungeheuer immense

das **Unglück**, –s misfortune

die **Universität'**, –en university

unmög'lich impossible

unruhig restless

uns (to) us

unschuldig innocent

unser, unsere, unser our

der **Unsinn**, –s nonsense

unsinnig nonsensical

unsterb'lich immortal

unter *dat. or acc.* under, below; among; **— anderm** among others

unter-gehen * perish, be destroyed

die **Unterhal'tung**, –en entertainment; conversation

der **Unterricht**, –s instruction

der **Unterschied**, –s, –e difference

der **Untertan**, –s, –en subject

die **Ursache**, –n cause

ursprünglich original

V

der **Vater**, –s, ⸚ father

die **Verant'wortung** responsibility

das **Verb**, –s, –en verb

verber'gen (i; a, o) hide, conceal

verbie'ten (o, o) forbid, prohibit

(sich) **verbin'den (a, u)** unite, join

verbrin'gen * pass (*time*)

verdan'ken owe

verei'nigen unite; **die Vereinig- ten Staaten** United States

verfüh'ren mislead, seduce

verges'sen (i; a, e) forget

der **Vergleich', -s, -e** comparison; **zum —** for comparison

verhei'raten marry

verkau'fen sell

der **Verkehr', -s** traffic

verlas'sen * leave

sich **verlie'ben** fall in love

verlie'ren (o, o) lose

vernich'ten annihilate, destroy

verra'ten (ä; ie, a) betray

versa'gen deny; fail

die **Verschwen'dung** squander- ing, wastefulness

verschwin'den (a, u; sein) dis- appear

versin'ken (a, u; sein) sink, go down, founder

verspre'chen * promise

verstär'ken strengthen, reinforce, intensify

verste'hen * understand

versu'chen try, attempt

das **Vertrau'en, -s** trust, con- fidence

verur'teilen judge, condemn; **zum Tode —** sentence to death

verwal'ten administer

verwan'deln change, transform

der **Verwand'te, -n, -n** (*adj. decl.*) relative

verwei'len stay, remain

verwun'schen enchanted

verwü'sten devastate, lay waste

verzich'ten auf *acc.* renounce

verzwei'feln despair

die **Verzweif'lung** despair

vielleicht' perhaps

vielmehr' rather

vier four; **die Vier** (*grade of*) D

das **Viertel, -s, —** quarter

der **Virtuo'se, -n, -n** virtuoso

das **Volk, -es, "er** people, nation

die **Völkerwanderung** Migration

voll full

von *dat.* of, from; by

vor *dat. or acc.* before, in front of; ago

vor-bereiten prepare

vor-dringen (a, u; sein) advance

vor-fahren * drive up

vorher in advance

die **Vorlesung, -en** lecture

vor-stellen introduce

vor-ziehen * prefer

W

wachsen (ä; u, a; sein) grow

der **Waffenmeister, -s, —** armorer

der **Wagen, -s, —** vehicle, carriage, car

die **Wahl, -en** choice; election

wählen choose; elect

wahnsinnig insane

wahr true; **nicht —?** isn't it so?

wahren preserve, guard

während *gen.* during; *conj.* while; whereas

der **Wald, -es, "er** forest, woods

wandern (sein) wander, hike

wann when

warnen warn

die **Warnung, -en** warning

warten auf *acc.* wait for

warum' why

was what; **— für ein** what kind of; what a

das **Wasser, -s, —** water

weder ... noch neither ... nor

der **Weg, -es, -e** way

wegen *gen.* on account of, because of

weil because

der **Weinberg, -es, -e** vineyard

weise wise

die **Weisheit** wisdom

weiter farther, further; *as prefix of verbs* on; continue to

weiter-gehen * go on, keep on walking

welcher, welche, welches which, what; who; **welch ein** what a

die **Welle, -n** wave

die **Welt, -en** world

der **Weltkrieg, -s, -e** world war

die **Weltmacht, "e** world power

wem (to) whom

wen whom

wenden (wandte, gewandt *or regular*) turn

wenig little; wenige few; weniger fewer, less; wenigstens at least

wenn if; when, whenever; — auch although, even though

wer who; he who, whoever

werden (wird; wurde, geworden; sein) become, grow; be (*in passive voice*); shall, will (*future*)

das Werk, –es, –e work

wert worth(y)

wertvoll valuable

der Westen, –s west

westlich western

das Wetter, –s weather

wichtig important

wie how; as, like

wieder again

wieder-geben * give back, return; render, reproduce

wiederho'len repeat, review

wieder-kommen * come again, come back, return

das Wiedersehen, –s seeing again; auf — au revoir, good-bye

der Wiener, –s, — Viennese

die Wiese, –n meadow

wieviel how much; um — Uhr at what time; — Uhr ist es? what time is it?

wild wild

der Wille, –ns will

die Windung, –en curve, turn

der Winter, –s, — winter

wir we

wirklich real; really

die Wirkung, –en effect

wissen (weiß; wußte, gewußt) know (*a fact*), have knowledge of

die Wissenschaft, –en science

wissenschaftlich scientific

wo where

die Woche, –n week

woher from where, whence

wohin' where, whither, to what place

wohl well; probably

das Wohl, –es well-being; auf das — trinken drink to someone's health, toast

wohnen live, reside

wollen (will; wollte, gewollt *or* wollen) want (to)

das Wort, –es word; Wörter (*isolated*) words, Worte (*in context*)

wunderbar wonderful

wundersam strange

wünschen wish

die Würde, –n dignity

der Wurf, –es, ⁀e throw, cast

der Wurm, –es, ⁀er worm

Z

die Zahl, –en number

zahlen pay

der Zauber, –s, — magic, sorcery

der Zauberlehrling, –s, –e sorcerer's apprentice

das Zauberwort, –es, –e magic word

zeigen show, point (out)

die Zeit, –en time, period, age

die Zeitung, –en newspaper

zerfal'len * fall to pieces, disintegrate

zerstö'ren destroy

zertre'ten * trample to death, crush (with one's feet)

ziehen (zog, gezogen) draw, pull; (*with* sein) move, go

das Ziel, –es, –e aim, goal, destination

ziemlich fairly, rather, pretty

die Zigaret'te, –n cigarette

das Zimmer, –s, — room

zu *dat.* to, at; for; too

zu-bringen * spend (*time*)

der Zucker, –s sugar

zuerst' (at) first

zu-fallen * *dat.* fall to

zufrie'den content(ed), satisfied

zurück'drängen push back

zurück'-fahren * drive *or* ride back

zurück'-fallen * fall back

zurück'-gewinnen * win back

(sich) zurück'-halten * hold back

zurück'-kehren (sein) return

zurück'-werfen (i; a, o) throw back

zurück'-ziehen * pull back; sich — retire, withdraw

zusam'men together
der Zusam'menhang, –s, ⸚e
  connection, context, nexus
zusam'men-kommen * come together

(sich) zusam'men-schließen *
  join, unite
zwei two; zweit– second
zwischen *dat. or acc.* between
zwölf twelve

Vocabulary

ENGLISH-GERMAN

Not included are: prepositions (see Index); pronouns; conjunctions which appear only in Lesson 17; and a few very common words, such as *and, have, one, the.*

A

able: be — to können (kann; konnte, gekonnt *or* können)
accept an-nehmen (nimmt; nahm, genommen)
action die Handlung, –en
after nach; *conj.* nachdem'
afternoon der Nachmittag, –s, –e; this — heute nachmittag
agreeable angenehm
all all (–e, –es); — right! gut! — of us wir alle
almost fast
although obgleich', obwohl'
always immer
any: not — kein; not — more nicht mehr
as ... as so ... wie
Austria (das) Österreich, –s

B

because weil
become werden (wird; wurde, geworden; sein)
boat das Schiff, –es, –e; go by — mit dem Schiff fahren
book das Buch, –es, ⸗er
boundary die Grenze, –n
brother der Bruder, –s, ⸗er

C

cake der Kuchen, –s, —; *see* piece
called: be — heißen (ie, ei)
can können (kann; konnte, gekonnt *or* können)

castle die Burg, –en; *see* ruin
century das Jahrhun'dert, –s, –e
city die Stadt, ⸗e
class die Klasse, –n; die Stunde, –n (= *class period*)
classical klassisch
climb up hinauf'-steigen (ie, ie; sein)
coffee der Kaffee, –s; *see* cup
come kommen (kam, gekommen; sein)
command befeh'len (ie; a, o)
compelled: be — müssen (muß; mußte, gemußt *or* müssen)
confidence das Vertrau'en, –s
consider as halten (ä; ie, a) für
cordial herzlich
country das Land, –es, ⸗er; in the — auf dem Lande; to the — auf das Land
court der Hof, –es, ⸗e
cup die Tasse, –n; a — of coffee eine Tasse Kaffee; have a — of coffee eine Tasse Kaffee trinken

D

day der Tag, –es, –e
dear lieb
destroy zerstö'ren
difficult schwer
dinner das Mittagessen, –s, —; have — zu Mittag essen (āß, gegessen)
distinguished angesehen

190

drink trinken (a, u)
drive down hinun'ter-fahren (ä; u, a; sein)

E

east der Osten, –s; **towards the** — nach Osten
emperor der Kaiser, –s, —
empire das Reich, –es, –e
enough genug
everyone jeder
excursion der Ausflug, –s, ⁀e
excuse entschul'digen
explain erklä'ren

F

fable die Fabel, –n
few wenige
fight der Kampf, –es, ⁀e
find finden (a, u)
finish been'den
first erst–
foot der Fuß, –es, ⁀e _or_ —; **on** — zu Fuß
for für; seit (_see Lesson 10, footnote 1_); (_conj._) denn
force die Kraft, ⁀e
forget verges'sen (vergißt; vergaß, vergessen)
fortunately zum Glück
friend der Freund, –es, –e
fulfill erfül'len

G

German deutsch; **Germany** (das) Deutschland, –s
gift das Geschenk', –s, –e
go gehen (ging, gegangen; sein); (_vehicle_) fahren (ä; u, a; sein); **—by boat** mit dem Schiff fahren; **— down** hinun'ter-gehen, hinun'ter-fahren; **— on an outing** einen Ausflug machen
good gut; **— morning** guten Morgen
grandfather der Großvater, –s, ⁀
great groß
greeting der Gruß, –es, ⁀e
grow wachsen (ä; u, a; sein); **— to be** werden (wird; wurde, geworden; sein)

H

happy glücklich
hardly kaum
hasten eilen (sein)
help helfen (i; a, o) _dat._
high hoch (hoh–)
himself selbst
home nach Hause; **at —** zu Hause
honor die Ehre, –n
house das Haus, –es, ⁀er
how wie; **— are you?** wie geht es dir (Ihnen)?
however aber

I

immediately sofort'
impostor der Betrü'ger, –s, —
influence der Einfluß, Einflusses, Einflüsse
insane wahnsinnig
introduce vor-stellen

K

kind: what — of was für ein
know kennen (kannte, gekannt), wissen (weiß; wußte, gewußt); **known** bekannt'

L

language die Sprache, –n
last letzt–
late spät
lead führen
learn lernen
least: at — wenigstens
let lassen (läßt; ließ, gelassen)
letter der Brief, –es, –e
life das Leben, –s, —
like wie
like: — to do gerne tun (tat, getan); **— best to do** am liebsten tun
live leben; wohnen (= _reside_)
lose verlie'ren (o, o)

M

Madam gnädige Frau
magic die Magie'
make machen

man der Mann, –es, ⸚er; der Mensch, –en, –en
many viele
marry heiraten
master der Herr, –n, –en
may (*possibility*) mögen (mag; mochte, gemocht *or* mögen); (*permission*) dürfen (darf; durfte, gedurft *or* dürfen)
meaning der Sinn, –es
Miss (das) Fräulein, –s, —
money das Geld, –es, –er
morning der Morgen, –s, —; *see* good
mother die Mutter, ⸚
mountain der Berg, –es, –e
Mr. (der) Herr, –n, –en
must müssen (muß; mußte, gemußt *or* müssen); — **not** nicht dürfen (darf; durfte, gedurft *or* dürfen)

N

name der Name(n), –ns, –n; **what is your —?** wie heißen Sie?
named: be — heißen (ie, ei)
natural natür'lich
nature die Natur', –en
near nahe; *prep.* bei
need brauchen
neighbor der Nachbar, –s *or* –n, –n
neither ... nor weder ... noch
never nie
next to neben
night die Nacht, ⸚e
no nein; kein, keine, kein
now jetzt, nun

O

o'clock: at five — um fünf Uhr
old alt
only nur
open offen
other ander–
outing der Ausflug, –s, ⸚e

P

parents die Eltern
people die Leute, die Menschen

piano das Klavier', –s, –e
piece das Stück, –es, –e; **a — of cake** ein Stück Kuchen
place die Stelle, –n
play spielen
pleasant angenehm
please! bitte!
poem das Gedicht', –s, –e
poet der Dichter, –s, —
power die Kraft, ⸚e, die Macht, ⸚e
prefer vor-ziehen (zog, gezogen); **— to go** lieber gehen (ging, gegangen; sein)
present das Geschenk', –s, –e
probably wohl *or future perfect*
promise verspre'chen (i; a, o)
protect schützen
Prussia (das) Preußen, –s
pupil der Schüler, –s, —; die Schülerin, –nen

Q

question die Frage, –n

R

railroad die Eisenbahn, –en
renounce verzich'ten auf *acc.*
repeat wiederho'len
request bitten (bat, gebeten)
respect die Achtung
restaurant das Restaurant', –s, –s
return zurück'-kommen (kam, gekommen; sein); zurück'-kehren (sein)
review wiederho'len
right recht; **to be —** recht haben; *noun* das Recht, –(e)s, –e
river der Fluß, Flusses, Flüsse
rock der Felsen, –s, —
ruin die Rui'ne, –n; **ruins of the castle** die Burgrui'ne

S

sad traurig
said: be — to sollen (soll; sollte, gesollt *or* sollen)
satisfy befrie'digen
set free frei-lassen (läßt; ließ, gelassen)

several mehrere
since seit; *causal conj.* da
sing singen (a, u)
sister die Schwester, –n
slay erschla'gen (ä; u, a)
son der Sohn, –es, ⁔e
song das Lied, –es, –er
soul die Seele, –n
south der Süden, –s
speak sprechen (i; a, o)
state der Staat, –es, –en
stay bleiben (ie, ie; sein)
still noch
stop auf-hören
stranger der Fremde, –n, –n
strive streben
study studie'ren, lernen
stupid dumm
succeed gelin'gen (a, u; sein); I
— in doing es gelingt mir, . . . zu
tun
such solch
suit: it suits me es ist mir recht
summer der Sommer, –s, —
surprised: I am — es wundert
mich

T

take nehmen (nimmt; nahm, genommen)
tame zähmen
thank danken; — you *or* thanks
danke
that das; der, jener; daß
then dann
there da, dort; there is (are) es
gibt *acc.*
third dritt–; das Drittel, –s, —
this dieser, diese, dies(es)
time die Zeit, –en; at what — um
wieviel Uhr
too zu; auch
towards gegen
translate überset'zen
trip die Fahrt, –en

turn to sich wenden (wandte, gewandt *or regular*) an *acc.*

U

understand verste'hen (verstand,
verstanden)

V

very sehr

W

wait warten; — for warten auf
acc.
want (to) wollen (will; wollte,
gewollt *or* wollen)
watch die Uhr, –en; according to
my — nach *or* auf meiner Uhr
well gut
west der Westen, –s; towards the
— nach Westen
what was; — kind of was für
(ein)
when als; wenn; wann (= *at
what time*)
whenever wenn
where wo; wohin'
while während
wife die Frau, –en
win gewin'nen (a, o); — back
zurück'-gewinnen
wise weise
wish wünschen; *noun* der Wunsch,
–es, ⁔e
work arbeiten; *noun* das Werk,
–es, –e; die Arbeit
world die Welt, –en
write schreiben (ie, ie)

Y

year das Jahr, –es, –e
yet doch; not — noch nicht
young jung

Index

Lightface numbers refer to pages. Boldface numbers in parentheses refer to sections; boldface italic numbers mark the most important references.